L.

BIBLIOTHÈQUE MUNICIPALE
DE L'ILE DU HAVRE-AUBERT
C. 37, HAVRE-AUBERT
ILES DE LA MADELEINE, QC
G0B 1J0 (418-937-2279)

Femme
PASSION

Dans la même collection

1. *L'année de l'amour,* Barbara Siddon.
2. *Le jeu du vent,* Paula Williams.
3. *Rhapsodies hongroises,* Heidi Strasser.
4. *Je le dompterai,* Aimée Duvall.
5. *Duo pour deux solistes,* Elizabeth Barrett.
6. *Prise au filet,* Marjorie Mc Aneny.
7. *Anaïs, toujours,* Billie Green.
8. *Le gagneur,* Helen Mittermeyer.
9. *Un amour d'ennemi,* Marx Ann Taylor.
10. *Féerie la nuit,* Alyssa Douglas.
11. *L'amour aux enchères,* D. Corbin.
12. *Après tant d'années,* M. K. Mc Comas.
13. *Délit de fuite,* G. Wilkins.
14. *La poursuite d'un rêve,* H. Conrad.
15. *Odieux chantage,* P. Williams.
16. *Douce tentation,* A. Douglas.

ALYSSA DOUGLAS

DOUCE TENTATION

PRESSES DE LA CITÉ
PARIS

Titre original :
SWEET TEMPTATION

Première édition publiée par Pageant Books,
225 Park Avenue South, New York 10003.

Traduction française de Christophe de Lataillade

La loi du 11 mars 1957 n'autorisant, aux termes des alinéas 2 et 3 de l'article 41, d'une part, que les « copies ou reproductions strictement réservées à l'usage privé du copiste et non destinées à une utilisation collective », et, d'autre part, que les analyses et les courtes citations dans un but d'exemple et d'illustration, « toute représentation ou reproduction intégrale ou partielle, faite sans le consentement de l'auteur ou de ses ayants droit ou ayants cause, est illicite » (alinéa 1er de l'article 40).

Cette représentation ou reproduction, par quelque procédé que ce soit, constituerait donc une contrefaçon sanctionnée par les articles 425 et suivants du Code pénal.

© 1988 by Anne Canadeo
© 1990, Presses de la Cité, pour la traduction française
ISBN : 2-285-00015-4

1

– LE revoilà... A neuf heures pile! Je te l'avais bien dit, annonça Audrey en se tordant le cou pour mieux voir à travers la vitrine de la boutique.

Après avoir posé la dernière tarte sur l'étalage, Angie se pencha à son tour pour regarder. C'était son premier jour de retour à la boutique, après une semaine clouée au lit par une mauvaise grippe. Toute la matinée, Audrey lui avait rebattu les oreilles avec le dernier client en date de sa pâtisserie. A en croire la description qu'elle en avait faite, il avait la beauté d'un jeune Robert Redford, le magnétisme d'un Mel Gisbson, et le charme bourru d'un Harrison Ford.

L'inconnu semblait également avoir un irrépressible penchant pour la pâtisserie. Depuis une semaine, il venait tous les matins à la même heure chez *Dame Tarte* pour acheter sa ration quotidienne de douceurs. Audrey soutenait que c'était son appétit plutôt que sa beauté, qui l'avait le plus impressionnée.

– Crois-moi, un homme qui peut manger

autant d'éclairs au chocolat pour son dîner doit posséder une âme sensible.

– Cela, ou il est hypoglycémique, avait répondu Angie, ironique.

Poussée avec insistance par Audrey, la jeune femme jeta donc un coup d'œil à travers la vitrine légèrement embuée. Une Alfa Romeo rouge vif était garée juste en face du magasin, sur le trottoir opposé. Bien qu'on fût déjà en novembre, et qu'il fît déjà fort froid, la voiture était décapotée. Son conducteur et seul occupant était blond, portait des lunettes noires et un blouson de cuir marron. C'était un véritable colosse, songea Angie en contemplant ses larges épaules et ses jambes démesurées. Contrairement aux prévisions d'Audrey, cependant, il ne se dirigea pas vers la boutique, mais descendit la rue dans la direction opposée.

– Il va d'abord acheter son journal, expliqua Audrey. Il le lit en buvant son café. Je parie qu'il va prendre des roulés au miel, cette fois. Il en a mangé trois mardi.

Angie avait déjà entendu toute l'histoire plusieurs fois, mais Audrey ne semblait pas se lasser de la lui répéter. Elle vida un plateau de biscuits dans un bocal en verre à l'ancienne, et essuya ses mains couvertes de sucre glace sur son tablier.

– S'il a un aussi bon appétit que tu le dis, on devrait peut-être le pousser à prendre du pâté. C'est bien plus rentable que la pâtisserie.

– Ma pauvre chérie, tu n'y es pas du tout. Un coup d'œil sur cet homme, et le confit de foies de volaille sera la dernière chose qui te viendra à l'esprit.

Audrey aperçut son reflet dans le miroir qui couvrait le mur du fond, derrière le comptoir. Elle fit alors gonfler sa longue chevelure brune et bouclée, et vérifia son maquillage.

– Quelque chose me dit qu'il n'est pas marié, fit-elle d'une voix fluette, faussement innocente. Je le sens. Il a cet air... comment dirais-je... détaché et libre qu'ont les célibataires.

– Ce qui n'est pas vraiment ton cas, si je ne m'abuse, répliqua Angie en s'esclaffant. A mcins que tu n'aies décidé de larguer Brian et les enfants pour te consacrer pleinement à ton amateur d'éclairs au chocolat...

– Très drôle, Angie... Tu sais bien que je ne pensc pas à lui pour moi.

Bien qu'Audrey se comportât comme une midinette émoustillée dès qu'un homme pénétrait dans la boutique, Angie la savait dévouée corps et âme à son mari, Brian, et à ses trois enfants.

– Tu sais très bien, poursuivit Audrey, que je disais ça pour une satanée célibataire que j'ai l'heur de connaître, et qui ferait bien de s'intéresser un peu plus à la gent masculine, si elle ne veut pas se réveiller un beau jour pour réaliser qu'il est trop tard, et que la parade est finie.

– Pcut-être que l'amie en question n'aime pas les parades. Peut-être les trouve-t-elle trop houleuses, bruyantes, fatigantes. De toute façon, tu oublies Spencer... Est-ce qu'il ne compte pas, lui?

– Je te parle de parade, Angie. Feux d'artifice,

flons-flons et patin couffin. Spencer est gentil mais, soyons honnêtes, ça ne fait quand même pas un 14 juillet. Il me ferait plutôt penser à un mercredi des Cendres, si tu veux mon avis.

– Ce n'est pas gentil de dire ça, fit Angie en baissant ses grands yeux verts. D'autre part, tu oublies que j'ai eu mon 14 juillet, à mon heure... Pour ce que ça m'a laissé, je préfère ne pas renouveler l'expérience.

– Écoute, Angie..., contra Audrey d'une voix que la jeune femme appelait son ton de mère supérieure.

– Écoute, Audrey, coupa Angie, peu décidée à entendre un nouveau sermon.

L'affrontement en resta là, puisqu'à cet instant, la clochette de la porte de la boutique retentit, et qu'un client fit son entrée.

– Ah, ce doit être notre prince charmant qui vient faire son plein de pâtisseries, murmura Angie, un sourire malicieux aux lèvres.

Dans le but évident d'agacer Audrey, la jeune femme décida d'ignorer superbement le nouveau venu. Elle lui tourna le dos et se mit à réorganiser l'étalage de tartes et de gâteaux. Les tartes aux fruits, exposées bien en évidence sur des étagères de verre, étaient la spécialité de la maison.

– Bonjour, fit une voix grave et chaleureuse, comment ça va, Audrey?

– On ne peut mieux! répondit cette dernière d'un ton enjoué. Qu'est-ce que ce sera pour vous, ce matin?

– Ma foi, je... je ne sais pas encore. Ces petits

cakes ont l'air délicieux. On peut-être un croissant...

Angie brûlait de le regarder, ne serait-ce qu'une seconde. Elle maudit Audrey qui avait su si bien éveiller sa curiosité, malgré ses dénégations. Elle jeta un coup d'œil dans le miroir, sur le mur du fond, pour découvrir que ce n'était pas les croissants, qu'il était en train d'admirer, mais elle. Leurs regards se croisèrent un instant. Jamais elle n'avait vu d'yeux aussi bleus. Elle détourna vivement la tête, déplaça une boîte de sablés, pour se donner une contenance, manqua de la faire tomber...

– Angie a fait les cakes ce matin même, ils sont aux myrtilles et aux noix.

– Aux myrtilles et aux noix? Original. Je ne connaissais pas...

Sans même le regarder, Angie savait qu'il ne s'adressait pas à Audrey, mais à elle.

Agacée de sentir peser sur elle ce regard scrutateur, la jeune femme alla se réfugier derrière le comptoir. Elle se mit à plier des petites boîtes à gâteaux en carton, en prévision de l'affluence de l'après-midi, en continuant à tourner ostensiblement le dos à son amie et à son client. Malheureusement, Audrey était une nature obstinée, et ne déclarait jamais forfait aussi facilement.

– Oh, mon Dieu, je sens quelque chose brûler! s'écria cette dernière en se ruant tout de go vers la cuisine, non sans décocher au passage un sourire perfide à Angie.

La jeune femme en resta bouche bée.

Qu'Audrey eût recours à d'aussi fallacieux prétextes pour la laisser seule à seul avec le bel inconnu était grotesque. Et puis, c'était tout de même elle, Angie, la patronne de la boutique! Elle soupira.

– Vous pensez qu'elle a besoin d'un coup de main? s'enquit le client, prévenant.

N'ayant désormais plus le choix, Angie se retourna cette fois-ci pour de bon. Aussitôt, toute idée de corriger sévèrement Audrey quitta son esprit. Il était superbe. Ses cheveux blonds et bouclés encadraient son visage comme une auréole, un peu ébouriffés par le vent. Ses traits étaient réguliers, fins; sa peau, légèrement hâlée. Il lui sourit, et deux charmantes fossettes vinrent creuser ses joues. Ses yeux d'un bleu profond pétillaient d'intelligence et d'humour. Vêtu d'un blue jean délavé et d'un épais chandail de marin blanc cassé, tout en lui respirait l'élégance naturelle et décontractée. Avant tout, et c'est ce qui le rendait d'autant plus troublant, il dégageait une vitalité, une force et une fraîcheur envoûtantes.

– Si Audrey a besoin de moi à la cuisine, répondit-elle enfin d'un ton léger, je suis sûre qu'elle me le fera savoir.

Si Audrey avait un tant soit peu de jugeote et d'instinct de survie, songea-t-elle pour elle-même, elle filerait à toutes jambes par la porte de derrière, monterait dans sa voiture, et s'enfuirait aussi loin que possible. Elle le lui paierait cher!

– Et vous êtes...?

– Angie... Angie Parrish. Je suis propriétaire de cette boutique.

D'un bref regard appréciateur, il la jaugea de la tête au pieds, comme si elle n'avait été qu'une autre denrée comestible du magasin.

– Ainsi donc, *Dame Tarte*, c'est vous?

Angie sentit ses joues s'empourprer. En temps normal, ce jeu de mots l'aurait laissée indifférente, mais la présence de l'inconnu lui faisait perdre tout sens de la repartie. Elle écarta nerveusement de son visage une mèche de cheveux roux qui était retombée sur sa joue.

– En quelque sorte, oui, fit-elle avec un sourire crispé.

– Je ne sais pas pourquoi, mais je vous avais imaginé autrement... Je veux dire, mon expérience ne m'a pas habitué à rencontrer des pâtissières aussi joliment... faites.

Angie se sentait de plus en plus mal à l'aise, tandis qu'il jouissait sans vergogne de la vision de sa silhouette mince et élancée.

– Café? s'enquit-elle brusquement, essayant de ramener la conversation sur un terrain plus anodin.

– Pardon?

– Est-ce que vous voulez du café?

– Oh, oui, volontiers. Au fait, je ne me suis pas présenté. Je m'appelle Luke Wilder.

Il tendit la main, et Angie n'eut d'autre alternative que de lui offrir la sienne. Elle était chaude et puissante. Sa paume large et douce gansait comme une enveloppe naturelle les longs doigts délicats de la jeune femme.

Elle la retira presque aussitôt, comme avertie

par un signal secret d'un danger encore diffus qui l'aurait guettée. En se retournant pour lui verser une tasse de café, elle inspira profondément pour reprendre son souffle perturbé.

Elle aurait voulu éclater de rire. Que diable lui arrivait-il ? Les commérages d'Audrey avaient-ils eu un effet insoupçonné sur son inconscient ? Aussi loin qu'elle se le rappelait, Angie ne se souvenait pas d'avoir jamais été aussi troublée par une simple poignée de main.

Dans l'esprit de la jeune femme, la beauté saisissante du jeune homme était un signal, une parure lui avertissant de se tenir à l'écart, un peu comme la parure zébrée du tigre incite d'éventuelles proies à la prudence.

Certes, elle reconnaissait que son mariage – cinq ans de lente dégradation –, puis son divorce – largement couvert par les médias – d'avec Chad Daniels étaient la cause de cette méfiance presque paranoïaque, mais qu'y pouvait-elle ?

L'épisode Chad avait été une leçon qu'elle n'était pas prête d'oublier. La notoriété soudaine de son mari avait sonné le glas de leur union. A l'époque, elle ne pouvait pas mettre les pieds dans un supermarché sans tomber sur l'image de son cher époux affichant un sourire carnassier et satisfait en couverture de telle ou telle gazette de célébrités ou autre feuille de chou à scandale. Pour elle, Chad Daniels n'était rien de plus que le dernier acteur en vogue, éphémère coqueluche des téléspectatrices de la tranche horaire dix-neuf heures – vingt heures, même s'il portait beau, s'habillait chic chez les meilleurs couturiers de la ville, avait le verbe tranchant et la repartie sans appel.

Ce bon vieux Chad! Quand elle l'avait rencontré, il était plus à son aise avec un sèche-cheveux en main qu'un calibre 45. Elle n'en revenait toujours pas qu'il ait pu incarner de façon aussi convaincante une tête brûlée dans une série télévisée populaire, lui qui se mettait à geindre comme une fillette à la moindre égratignure. Si ses fans avaient su! Mais c'était la loi du show business – un monde auquel elle n'avait jamais voulu appartenir.

– Cela fait longtemps que vous tenez ce commerce? s'enquit le jeune homme, interrompant la rêverie d'Angie.

– Presque trois ans, répondit-elle en plaçant la tasse de café sur un plateau, avec une serviette, une cuiller, du sucre et de la crème.

– Qu'est-ce qui vous a poussé à choisir ce patelin? Chatham Falls... C'est un peu un trou, quand même.

– Comment cela?

– Vous auriez pu vous établir à Woodstock.

Woodstock, ancien haut lieu de la culture hippie, se trouvait à une soixantaine de kilomètres au sud-ouest de Chatham Falls. Depuis le mémorable festival de la fin des années soixante, le village avait fait l'objet d'une spéculation immobilière effrénée, et s'était peu à peu transformé en lieu de villégiature élégant.

– Avec tous les bourgeois et la foule des week-ends, vous feriez fortune en moins de temps qu'il ne faut pour le dire. Ce serait une parade incessante de gourmands.

Il jeta un coup d'œil sur la rue, comme si elle grouillait déjà d'éventuels clients.

– Je n'ai aucun goût pour les parades, répliqua-t-elle en souriant, espérant secrètement qu'Audrey écoutait en cachette derrière la porte. De toute façon, je ne suis pas certaine que nous arriverions à assumer une clientèle plus importante. Crème ou sucre dans votre café?

– Ni l'un ni l'autre. Noir. Mmm... Il est délicieux. Il faudrait que je songe à en envoyer à tante Emma pour Noël. On ne trouve que du café infect dans le Wisconsin.

Le jeune homme avala deux petites gorgées de son breuvage chaud, puis reposa la tasse pour dévisager à nouveau la jeune femme avec un large sourire. Angie le lui rendit sans mauvaise grâce. Elle résolut de se laisser aller un instant au charme de ses yeux bleus si tendres. Un instant seulement.

Elle s'éclaircit la gorge et chassa du revers de la main quelques miettes imaginaires du comptoir.

– Vous venez du Wisconsin?

– J'en suis originaire, mais je vis à New York. Cela dit, je dois admettre que, malgré des années passées à la ville, j'aurai toujours l'âme d'un paysan...

L'âme d'un paysan... Angie avait elle-même été

élevée à la campagne, non loin de Chatham Falls. A la fin de ses études, elle était partie à la ville, pour faire carrière et se prouver... Dieu seul savait quoi. Après son divorce d'avec Chad, elle avait décidé de revenir dans la région. Malgré toutes les manières et la sophistication qu'elle avait acquises à Manhattan, elle s'était, elle aussi, toujours sentie l'âme paysanne. Ici, à Chatham Falls, elle pouvait oublier les apparences et les prétentions ; elle pouvait être elle-même.

Elle comprenait bien ce qu'il voulait dire, mais préféra ramener la conversation sur un terrain, plus neutre, moins personnel. S'emparant de son carnet de commande et de son stylo, elle leva un sourcil interrogateur :

– Alors, avez-vous fait votre choix?

– Question difficile, répondit le jeune homme sans la quitter des yeux. Je crois que je vais commencer avec un chausson aux pommes.

Ignorant son regard insistant et lourd de sous-entendus, la jeune femme inscrivit sa commande sur son carnet.

– Asseyez-vous. Je vous apporte ça tout de suite.

– Je préfère attendre ici.

– Comme vous voudrez, répondit-elle en lui tournant le dos pour prendre un chausson sur une étagère. Si vous voulez, je peux vous le réchauffer au four.

– Bonne idée, fit-il, d'un ton presque trop poli. Enfin, si ça ne vous ennuie pas.

– Pas le moins du monde, murmura Angie, rouge comme une pivoine.

Ce Luke Wilder avait décidément un don pour les phrases à double sens, songea Angie en serrant les dents de rage. S'il tenait à la faire tourner en bourrique, elle n'avait pas dit son dernier mot! Elle fourra le chausson aux pommes dans le four à micro-ondes, dont elle claqua la porte avec rage. Elle mit en route la minuterie et attendit sans se retourner que le temps se fût écoulé. Ses doigts tambourinaient nerveusement sur la paroi de verre, tandis qu'elle fixait du regard la minuterie électronique. Quand la sonnerie retentit, elle retira l'assiette brûlante avec un chiffon épais et la posa sur le plateau.

– Voilà, c'est prêt. Où voulez-vous vous asseoir?

Elle s'apprêtait à emporter le plateau, mais il fut plus rapide qu'elle et s'en saisit sans lui laisser le temps de réagir :

– Je vous en prie; je peux me débrouiller seul.

Son journal soigneusement plié sous le bras, il l'emporta jusqu'à une des petites tables rondes en marbre et s'assit.

Angie l'observa, tandis qu'il ôtait son blouson pour se mettre à son aise. Visiblement, c'était le genre d'homme qui pouvait se sentir bien à peu près partout où il se trouvait.

Après l'avoir observé à la sauvette un court instant, Angie s'en retourna à sa tâche intitiale – plier de petites boîtes à gâteaux en carton pour l'après-midi. De temps à autre, cependant, elle ne put se retenir de jeter un coup d'œil discret sur le jeune homme : il prenait une bouchée de son chausson, une gorgée de café, et disparaissait de nouveau derrière son journal. Chaque fois qu'il tournait une page de son quotidien, la jeune femme se retournait vers ses boîtes, mais il avait repéré son petit manège, et parvint à la surprendre et à croiser son regard, Angie lui tourna aussitôt le dos, comme si de rien n'était.

La clochette de la porte d'entrée tinta, annonçant l'arrivée d'un nouveau client, Angie reconnut aussitôt la silhouette superbe d'Amelia Thurston.

Mme Thurston descendait en ligne directe des pères fondateurs de Chatham Falls, aussi se considérait-elle comme la reine du bourg, et la marraine de la haute société locale. Pour Angie, ce n'était que la plus insupportable des snobs. Elle passait son temps entre les galas de bienfaisance et les banquets de la Société historique de Chatham Falls. Son activité principale consistait à se répandre en potins et commérages sur les moindres faits et gestes des habitants.

Sans qu'Angie sût trop pourquoi, les commerçants de Chatham Falls semblaient la craindre et s'efforçaient de lui être toujours sympathiques, faute de quoi ils risquaient de devenir la cible et l'objet des rumeurs les plus calomnieuses. Angie avait souvent bien du mal à se montrer courtoise avec cet être aussi fantasque que tyrannique. Aujourd'hui, cependant, toute diversion était la bienvenue, même en la personne d'Amelia Thurston.

– Bonjour, Angie! lança Amelia d'un ton enjoué, en agitant une longue main gantée de velours noir.

Amelia Thurston était célèbre pour ses chapeaux. Aujourd'hui, les boucles argentées de ses cheveux, figées dans une gangue de laque comme la barbe du pêcheur dans une croûte de sel marin, dépassaient d'un étonnant couvre-chef à large bord, en feutre lie-de-vin, agrémenté de trois plumes de faisan et d'un gros nœud en velours noir évoquant un nid de passereau. Le comble du ridicule, songea Angie avec amusement.

Après son badinage rituel, Amelia choisit une boîte de biscuits et un pain complet.

– Audrey m'a dit que vous étiez malade la semaine dernière, très chère, minauda-t-elle en payant son dû. Rien de grave, j'espère?

– Non. Juste une petite grippe. Mais je me sens très bien, maintenant.

– Très bien. Prenez soin de vous, Angie. Nous comptons fermement sur votre présence au gala, samedi soir.

Le bal de charité annuel de la Société historique était un événement fort prisé, dont Amelia se chargeait de faire la promotion.

– Et sur celle du Dr Peterson, naturellement, acheva-t-elle.

Sans grande finesse, Amelia essayait ainsi de savoir si Spencer Peterson accompagnerait Angie pour l'occasion. Angie détestait apporter de l'eau au moulin d'Amelia et lui fournir matière à ragots, mais elle s'efforça cependant de sourire.

– Oh, pour rien au monde Spencer ne voudrait manquer cette soirée.

La jeune femme avait le sentiment désagréable qu'on écoutait leur conversation. Luke Wilder lisait la page sports de son journal de bout en bout, et pourtant, Angie était convaincue qu'il n'avait perdu une miette de ce qui s'était dit.

Amelia continuait à parler de la soirée de gala, et Angie l'écoutait d'une oreille distraite, approuvant de temps à autre pour marquer son intérêt. Le comité d'intendance avait passé à Angie une énorme commande de terrines, de pâtés et de feuilletés aux épinards, aussi cette dernière se devait-elle de traiter Mme Thurson comme une cliente importante, si bavarde fût-elle.

– Pourrais-je vous redemander un peu de café? fit soudain Luke Wilder, en s'approchant du comptoir.

Amelia le contempla de la tête aux pieds avec une curiosité non voilée, comme à son habitude chaque fois qu'elle se trouvait en face d'un inconnu. Luke ne sembla pas le moins du monde gêné par ses manières; il lui décrocha un large sourire.

– Pardonnez ma franchise, dit-il d'un ton poli, mais je ne pouvais m'empêcher d'admirer ce superbe chapeau.

Angie, occupée à remplir la tasse du jeune homme, grimaça de dégoût. Quel insupportable hypocrite! Ce chapeau aurait dû être exposé au musée des horreurs, et il le savait fort bien!

Mme Thurston, pourtant, fut prise au dépourvu par ce soudain assaut d'amabilités.

– Ah bon, répondit-elle en lissant une plume de

son couvre-chef, merci. Je l'ai acheté à Saratoga Springs.

Elle avait prononcé ces derniers mots comme s'il s'était agi de Paris ou de Rome.

– Il est absolument ravissant, renchérit Luke, et ce n'est pas n'importe quelle femme qui pourrait se permettre de le porter. Il faut être à la hauteur...

– Allons, allons, vous êtes trop aimable, pouffa Amelia, mais je n'ai plus vraiment l'âge d'entendre ce genre de flatteries. Je ne me souviens pas de vous avoir déjà vu par ici, monsieur...?

– Wilder, répondit le jeune homme avec entrain. Je viens de m'installer à la vieille villa Rosewood.

Angie manqua de laisser tomber la tasse de café de Luke. Elle avait certes remarqué qu'il y avait à nouveau de la lumière le soir à la villa Rosewood, mais n'y avait guère prêté attention. Ainsi donc Luke Wilder était son plus proche voisin.

– Comme c'est amusant. Alors, soyez le bienvenu à Chatham Falls. J'espère que notre petit village vous plaît. C'est un endroit très calme, vous savez. Il n'y a pas beaucoup de passage.

– C'est sans doute pour ça qu'il me plaît, fit Luke en esquissant un autre de ses sourires séducteurs. Et puis, les gens ont été si gentils avec moi...

– Nous nous efforçons d'accueillir les nouveaux venus aussi bien que possible, expliqua Amelia de son ton légèrement condescendant. N'est-ce pas, Angie?

– En effet, approuva la jeune femme.

– Avez-vous entendu parler de la soirée de gala de notre Société historique, monsieur Wilder? il faut absolument que vous y veniez. Tenue de soirée, à Ardsley Hall... Cela va être divin. Vous pourrez vous imprégner de l'architecture superbe de cet édifice. Cela vous donnera des idées pour arranger votre maison. Et, puis, ce sera une occasion rêvée de vous faire de nouveaux amis. N'est-ce pas, Angie?

– La chance de votre vie, renchérit la jeune femme, avec un enthousiasme feint.

Luke Wilder au bal de la Société historique? En smoking? Cette simple pensée électrisa les sens de la jeune femme, qui se maudit aussitôt de sa faiblesse. Quand donc cesserait-elle de réagir commc unc midinctte? Et pourquoi n'y avait-il personne à Chatham Falls pour clouer définitivement le bec à Amelia Thurston, et accomplir ainsi un acte civique de première nécessité? C'était une question de salut public!

– Voici notre numéro à la Société historique poursuivit la sémillante Amelia en tirant de son sac à main un stylo en or et un petit carnet de notes. Bien entendu, les souscriptions sont déductibles de vos impôts. Nous comptons fermement sur votre présence, conclut-elle en rassemblant ses paquets. Enchantée d'avoir fait votre connaissance, monsieur Wilder.

– Tout le plaisir est pour moi, madame Thurston, répondit le jeune homme en se dépêchant vers la porte pour la lui ouvrir avec empressement.

– Ah... mon chapeau, soupira Amelia en se contorsionnant pour franchir le seuil sans abîmer son vaste couvre-chef. Au revoir. Angie...

Luke s'en retourna vers le comptoir en pouffant de rire.

– Quel personnage! Un vrai numéro, non?

– Amelia Thurston. Un vieux dragon, oui... Mais vous vous en êtes plutôt bien tiré avec elle. Voilà votre café, saint Georges, désirez-vous autre chose?

Luke dévisagea la jeune femme, une moue amusée aux lèvres.

– Oui, en effet, je désirerais autre chose : voulez-vous dîner avec moi, ce soir?

Cette invitation prit la jeune femme à contre-pied.

– Non!... Euh, je veux dire : non merci.

Sans le regarder, elle se dirigea vers la table où il avait pris son petit déjeuner et ramassa son assiette.

– Une autre fois, alors? insista-t-il en la suivant.

Il se tenait si près, trop près d'elle, songea-t-elle. Elle recula d'un pas.

– Non... Je ne pense pas. Je ne crois pas que ce soit une bonne idée.

Il s'approchait encore d'elle. Cette fois, Angie ne pouvait plus reculer : le comptoir de verre se trouvait juste derrière elle. Elle dut finalement croiser son regard.

– Pourrais-je savoir ce qu'il y aurait de mal à cela, si ça ne vous ennuie pas trop? Vous vous êtes fixé pour règle de ne pas sympathiser avec vos clients?

– Ne soyez pas stupide. Bien sûr que non. Ce n'est pas ça...

– Vous n'êtes pas libre, peut-être...?

– Je ne crois pas que cela vous regarde. Je ne suis pas intéressée, c'est tout.

Elle avait dit ces mots d'un ton égal, mais se sentait totalement chavirée intérieurement. Ce Luke Wilder suscitait en elle les réactions les plus absurdes. S'il s'était contenté d'accepter simplement son refus, elle ne serait pas obligée de poursuivre cette discussion ridicule.

Au lieu de désarçonner le jeune homme, pourtant, sa franchise semblait l'amuser.

– Je serais curieux de savoir pourquoi vous n'êtes pas intéressée, poursuivit-il, moqueur, mais quelque chose me dit que cela non plus ne me regarde pas. Exact?

– Exact, murmura-t-elle.

Ils se turent tous deux un instant, qui sembla une éternité à Angie.

Elle baissa à nouveau les yeux. Elle craignait, si elle croisait une fois de plus son regard d'azur, d'accepter son invitation à dîner. Et c'était bien la dernière chose qu'elle voulait.

– Votre café est froid, dit-elle enfin en s'emparant de sa tasse. Je vais vous en donner du chaud.

– Laissez tomber. Je n'en veux plus. Combien vous dois-je?

Angie calcula son addition, et il lui tendit quelques billets. Elle reversa la monnaie dans sa paume ouverte.

– Merci beaucoup.

– Pas de quoi..., marmonna-t-il en prenant son blouson et son journal. A un de ces quatre...

La sonnette de la porte tinta, et il disparut.

Angie retourna une nouvelle fois vers sa table, et ramassa sa serviette et sa cuiller. L'odeur de son blouson de cuir et de son eau de cologne boisée flottait dans l'air. Elle se sentit soudain éreintée, comme si elle avait épuisé toute son énergie à feindre d'ignorer son attirance pour le jeune homme.

Elle se laissa choir sur une chaise en soupirant. Le visage entre ses mains, elle regardait dans le vide. Luke Wilder était vraiment trop charmant, trop beau, et trop sûr de lui. Il était exactement le genre d'homme sur lesquels elle avait fait une croix depuis longtemps. Alors, pourquoi regrettait-elle si amèrement de l'avoir rembarré, comme si elle avait jeté un billet de loterie gagnant au vent?

– Si tu viens à manquer de gâteaux au chocolat, il y en a deux autres dans l'arrière-boutique, lança soudain Audrey en portant un plateau de gâteaux encore tièdes et couverts d'un glaçage appétissant. J'ai décidé de mettre des noix dessus, plutôt que des noisettes.

– Ton dernier acte officiel dans ma boutique! répliqua Angie. Et ne va pas croire que j'aurais pitié de toi parce que tu es mère de trois enfants.

– Si tu n'étais aussi farouche et asociale, je n'aurais pas besoin de recourir à de tels subterfuges. Je savais qu'il mourait d'envie de te parler seul à seule. Il t'a même demandé de sortir avec lui...

– Et en plus, tu écoutes aux portes!

– Mais bien sûr, ma chérie. C'est le BABA du métier d'entremetteuse. Je me demande d'ailleurs pourquoi je me donne tout ce mal... Franchement, Angie, était-il bien nécessaire de le rembarrer aussi brutalement? Tu n'avais pas besoin de le blesser, le pauvre...

– Il s'en remettra, crois-moi. Il en a sûrement vu d'autres... Ce type est un macho.

Sans aucun doute, Luke Wilder survivrait à cette rebuffade. Il s'était d'ailleurs probablement remis en chasse, prêt à jeter son dévolu sur la première jolie fille qui croiserait son chemin. Elle connaissait son genre; ils étaient bien tous les mêmes.

– Et toi, tu es la fille la plus entêtée que j'ai jamais vue.

Angie lui jeta un regard furieux, mais Audrey fit mine de l'ignorer.

2

Angie se sentit particulièrement maussade le reste de la journée. Elle fit tomber deux douzaines d'œufs par terre, et gâcha une fournée entière de gâteaux à la banane en confondant sel et sucre. Pour finir, elle laissa brûler si longtemps un caramel qu'elle ne put même pas sauver la casserole et dut jeter le tout à la poubelle.

Comme le soir approchait, elle essaya de se convaincre que son dîner avec Spencer la ferait changer d'humeur. Elle prit une longue douche brûlante, puis revêtit un chandail noir et une jupe de soie neuve à motifs cachemire rouge brique, or et noir. Une fois relâchés, ses cheveux descendaient une dizaine de centimètres en dessous de ses épaules. Elle les sépara en deux, et remonta une des deux mèches ainsi créées en un chignon qu'elle fixa sur sa tête à l'aide d'une barrette ancienne en argent. Un nuage de son parfum préféré, et elle fut prête. Quant à son étrange état d'esprit, Angie se dit qu'il devait s'agir d'une séquelle de sa grippe.

A la *Taverne Trumbull*, assise à une petite table en face de Spencer Peterson, Angie sirotait un verre de vin blanc. Malheureusement, l'alcool semblait avoir un effet médiocre sur son humeur. La compagnie de Spencer ne l'aidait guère plus. Elle essayait de se concentrer sur sa conversation, mais ses pensées s'égaraient sans cesse.

Spencer était vétérinaire. Ils s'étaient rencontrés quelques mois plus tôt, quand Angie lui avait apporté son setter irlandais pour le faire vacciner. ils s'étaient vus presque tous les week-ends depuis. Spencer, pourtant, n'avait jamais considéré que les samedis soirs d'Angie lui étaient réservés. Quand ils s'étaient embrassés, Spencer n'avait pas cherché davantage, n'exigeant d'Angie que ce qu'elle était prête à lui donner, ce qui, à ce point de leur relation, revenait à peu de chose. Leur flirt était plaisant, chaud, détendant, mais, ainsi qu'Audrey le lui avait fait crûment remarquer : « Tu n'as qu'à prendre un bon bain chaud, si c'est tout ce qu'il te faut. »

De temps à autre, Angie, se demandait ce qu'elle cherchait véritablement. Si l'amour devait porter les gens aux nues, ne les plongeait-il pas, pour finir, dans des abîmes de désespoir ? Les désillusions que lui avait apportées la fin malheureuse de sa liaison avec Chad ne lui faisaient pas oublier les moments intenses de bonheur et de passion qu'ils avaient connus ensemble au début de leur mariage. Secrètement, elle rêvait de revivre un jour de tels instants avec... quelqu'un d'autre.

Ce quelqu'un d'autre était-il Spencer Peterson ?

En scrutant ses yeux gris et son sourire sympathique, elle ne pouvait qu'en douter : il n'y avait là nulle passion.

– La truite est bien meilleure que la semaine dernière...

– La truite?

Angie essaya de se rappeler rapidement de quoi Spencer était en train de parler.

– Le dîner, Angie, fit Spencer d'un ton patient. Vous aimez?

– Oh oui, bien sûr, répondit-elle en piquant sa fourchette dans son assiette.

Spencer fronça les sourcils.

– Vos êtes sûre que ça va? Vous avez un petit appétit, ce soir.

– Moi? ça va très bien, je vous assure. Je suis encore un peu fatiguée, je suppose... C'est mon premier jour de retour au travail...

– Vous avez l'air en forme. Vos joues ont de bonnes couleurs.

– Merci, Spencer, répondit la jeune femme, sans trop savoir si elle devait prendre cette remarque comme un compliment.

Pourquoi ne pouvait-il pas lui dire, rien qu'une fois, qu'elle était jolie? Pourquoi lui disait-il toujours qu'elle avait l'air en bonne santé? C'était le genre de remarque qu'on faisait à une vieille fille pour la rassurer. A moins qu'il ne s'agisse d'une déformation professionnelle...

Elle se rappela soudain de la façon dont Luke Wilder l'avait regardée. Voilà un homme qui savait flatter la fierté d'une femme. Et s'ils avaient passé la soirée ensemble, Dieu seul savait ce qu'il aurait fini par lui flatter...

– Angie, vous m'avez entendu?

– Oh, excusez-moi... Non, je...

Angie leva les yeux sur son vis-à-vis, soudain honteuse des errements de son esprit.

– Je vous demandais si vous vouliez un autre verre de vin.

– Heu, non merci. Je n'ai pas encore fini celui-là.

– Bon. Eh bien, je crois que je vais en prendre un autre, pour ma part. Spencer jeta un regard alentour, en quête d'une serveuse. Oh, bon sang, regardez qui vient d'entrer...!

Angie pivota sur sa chaise, pour se tourner vers la porte d'entrée.

– Qui est-ce?

Scrutant la salle à manger faiblement éclairée de la *Taverne Trumbull*, la jeune femme ne parvint à distinguer rien ni personne qui sortît de l'ordinaire. Si le restaurant était le meilleur de la ville, il n'en était pas pour autant le quartier général des célébrités du pays.

– C'est ce joueur de base-ball si célèbre, comment s'appelle-t-il, déjà? Oh, bon sang, vous savez de qui je veux parler. Il a été le plus grand batteur depuis Holting Joe.

Angie se retourna vers Spencer en se calant le dos contre le dossier de son siège. Un joueur de base-ball à la retraite? La belle affaire! A l'expression du vétérinaire, elle s'était attendue à voir entrer le prince Charles en personne. Et qui diable était ce Holting Joe, d'ailleurs? Elle hocha la tête, et prit une petite gorgée de vin. Spencer semblait tombé dans un abîme de perplexité. Enfin, toutefois, son visage s'illumina et il fit claquer ses doigts en annonçant, l'air triomphal :

– Luke Wilder! Voilà de qui il s'agit. Vous n'avez jamais entendu parler de Luke Wilder? Celui que les commentateurs sportifs appelaient le « Taureau »?

Angie s'étrangla avec son vin, et fut prise d'une effroyable quinte de toux. Des larmes lui montèrent aux yeux, et elle se couvrit la bouche avec sa serviette.

– Excusez-moi, parvint-elle à articuler entre deux hoquets. Je crois que je ferais bien d'aller aux toilettes.

Ignorant l'état de la jeune femme, Spencer n'avait d'yeux que pour Luke.

– Il vient vers nous. Il va passer juste devant notre table, prévint-il, au comble de l'excitation. Ne vous levez pas tout de suite! ordonna-t-il en la retenant par le bras.

– Spencer..., laissez-moi y aller, marmonna Angie entre ses dents.

Le temps de se dégager de l'emprise de Spencer et Luke se tenait devant elle, la dévisageant sans vergogne. Elle leva les yeux sur lui, et fut prise d'une nouvelle quinte de toux.

– Quelque chose ne passe pas, Angie? s'enquit-il d'un ton aimable.

Il se mit à lui tapoter doucement le dos.

– Ça va, je vous remercie, fit-elle, dans un souffle.

La main secourable du jeune homme avait cessé de lui taper le dos pour masser, secrètement, sensuellement, sous la longue chevelure d'Angie, en longs cercles concentriques, sa peau douce et satinée. Spencer les observait tous deux, abasourdi, Luke vint complaisamment répondre aux muettes interrogations de son regard :

– Nous nous sommes rencontrés ce matin à la boutique, expliqua-t-il.

– Et elle ne vous a pas reconnu? s'étonna le vétérinaire en hochant la tête. Moi, j'ai tout de suite su qui vous étiez. Spencer Peterson, fit-il en tendant la main. C'est un honneur de faire votre connaissance, monsieur Wilder.

Angie se sentit à la fois soulagée et agacée quand Luke cessa de lui masser le dos pour serrer la main de Spencer.

– Enchanté, Spencer. Mais, ne soyez pas trop dur avec Angie : beaucoup de gens ne me reconnaissent plus depuis que j'ai arrêté le base-ball. C'est beaucoup mieux comme ça d'ailleurs.

– Je vous ai reconnu dès que vous êtes entré. Bon sang, Luke Wilder! Ici-même, à la *Taverne Trumbull!* Je n'en reviens pas!

Angie serra les dents. Spencer avait-il vraiment besoin de se comporter comme un adolescent? Luke jeta un coup d'œil sur la jeune femme, l'air un peu incrédule.

– Je crois que l'hôtesse essaie d'attirer votre attention, Luke, dit la jeune femme.

– Ah bon. Bien, je crois que je ferais mieux d'y aller, avant qu'elle ne donne ma table à quelqu'un d'autre. Bonne soirée à vous...

Angie soupira de soulagement quand Luke eut pris congé d'eux, mais Spencer n'en avait pas fini :

– Si vous voulez vous joindre à nous, Luke, nous en serions très honorés. N'est-ce pas, Angie?

Luke se retourna vers la jeune femme, attendant sa réponse.

– Je suis sûre que monsieur Wilder a d'autres projets pour la soirée, Spencer. N'est-ce pas?

– D'autre projets, en effet, répondit le jeune homme. Je dois dîner avec Eve Taylor.

Eve Taylor était une femme superbe, et l'agent immobilier le plus prospère de Chatham Falls.

– C'est Eve qui a négocié pour moi le contrat pour la villa Rosewood, acheva-t-il.

– C'est vous qui venez de vous installer à Rosewood? Angie, cela signifie que Luke est votre nouveau voisin, conclut Spencer, ravi.

– Vraiment? fit Luke, taquin. Comment se fait-il que vous ne m'en ayez pas parlé ce matin?

– Je ne vous ai rien dit? Vous en êtes sûr? Je pensais pourtant...

– Non, j'en suis absolument certain. Je m'en serais rappelé à coup sûr.

– Angie habite cette grande ferme blanche en haut de la colline, expliqua Spencer, qui, décidément, avait ce soir le sens de l'à-propos. Alors, si vous avez besoin de quoi que ce soit, n'hésitez pas à passez la voir.

– Eh bien, c'est très gentil à vous, Spencer. Merci. Bon, je crois que je vois Eve à la porte. Enchanté, Spencer... Angie, je passerai à l'occasion vous emprunter la traditionnelle tasse de sucre, en bon voisin...

– C'est ça, cingla la jeune femme plus abruptement qu'elle ne l'aurait voulu.

Quand l'athlète fut parti rejoindre Eve Taylor, Spencer se retourna vers Angie :

– Quel type sensas! Si simple, si chaleureux...

– Si plein de ressources, ajouta la jeune femme, énigmatique, en l'observant faire galamment asseoir sa compagne d'un soir.

Il ne lui avait pas fallu longtemps pour lui trouver une remplaçante, songea-t-elle avec rage. Spencer sirotait son vin.

– Je me demande ce qu'un type comme Luke Wilder fait à Chatham Falls.

D'abord Audrey... Et maintenant Spencer. C'était un comble. Pouvait-on lui parler de quelqu'un d'autre que de Luke Wilder? Angie inspira profondément, essayant de retrouver son calme.

– Peut-être aime-t-il faire du ski. Peut-être aime-t-il la vie au grand air.

– Si c'était le cas, un type comme lui irait plutôt dans le Colorado ou en Suisse. Il doit avoir les moyens. Et puis, d'après ce que j'en sais, c'est le genre à sortir une semaine avec une star du rock, la suivante avec une femme ministre... Si on l'appelait le Taureau, ce n'est pas seulement pour ses prouesses sportives...

Angie grimaça en entendant cette allusion douteuse.

– Tout le monde peut changer, objecta-t-elle d'une voix lente.

Sans qu'elle sût trop pourquoi, il lui déplaisait beaucoup d'apprendre, même si ce n'était peut-être qu'un ragot, que Luke Wilder n'était qu'un don Juan qui brûlait la chandelle de la vie par les deux bouts. Elle jeta un coup d'œil discret vers la table du jeune homme, où ce dernier lisait le menu en compagnie d'Eve Taylor. Celle-ci semblait être sous le charme, et riait sans cesse des bons mots de l'ancien champion.

– Peut-être, admit Spencer après un silence. Depuis qu'il a arrêté le base-ball, il est devenu un homme d'affaires très entreprenant et inventif. J'ai lu récemment un article sur lui dans *Vogue Hommes*. Il est très ingénieux. Il rachète des petites sociétés prometteuses, les développe au maximum, et les revend quand leur valeur boursière plafonne. C'est un aventurier du capitalisme, en quelque sorte.

Incapable de supporter un mot de plus sur la dernière célébrité en date de Chatham Falls, Angie essaya de ramener la conversation sur la profession de Spencer – un sujet sur lequel ce dernier aimait à s'étendre interminablement.

A quelques tables d'eux, Luke et Eve trinquaient. Écoutant attentivement son agent immobilier, Luke semblait avoir oublié la présence de toute autre personne. Angie savait que ce n'était pas très gentil pour Spencer, mais elle ne pouvait s'empêcher de penser – non sans une pointe de regret – qu'elle aurait pu être, à cet instant même, l'objet unique de l'attention de Luke Wilder.

– Vous voulez un dessert? s'enquit Spencer, interrompant ses pensées.

– Non merci, juste un café.

– La tarte aux pommes ne vaut pas la vôtre, bien sûr, taquina-t-il, mais elle est tout à fait correcte.

– Vous êtes gentil. Non, juste un café.

Quand ils eurent fini de dîner, Spencer lui proposa de prendre un cognac devant la cheminée, dans le grand salon de l'auberge. Tout d'abord, Angie songea que l'idée était plaisante, mais elle refusa finalement en prétextant sa fatigue, et lui demanda de la reconduire à sa voiture.

– Bien sûr, je comprends, répondit le vétérinaire en l'aidant à passer son manteau. Vous êtes un peu surmenée. Vous avez travaillé bien trop dur ces derniers temps.

– Peut-être, répondit-elle.

– Vous devriez engager du monde. Un ou deux employés peut-être. Il y a beaucoup d'étudiants et de lycéens qui cherchent de petits boulots à temps partiel. Vous devriez peut-être proposer à Audrey d'investir dans votre affaire, ce qui lui permettrait de prendre plus de responsabilités et vous déchargerait du même coup. Je sais que vous vous impliquez à fond dans ce que vous faites, Angie, et c'est sans doute là que réside la clef de votre succès, mais un jour viendra peut-être où d'autres intérêts importants relégueront vos affaires à l'arrière-plan. Il vous faudra alors une personne de confiance pour prendre la relève.

Angie savait fort bien à quels « intérêts importants » Spencer faisait allusion : une famille et des enfants. Spencer était vraiment un modèle de patience : il savait fort bien que la jeune femme concentrait toute son énergie sur son travail, et non sur l'établissement d'une relation sérieuse. Il semblait déterminé à ce que leur liaison progresse, fût-ce au rythme d'Angie. De temps à autres, toutefois, il lui faisait, plus ou mons subtilement, comprendre que ses intentions étaient des plus sérieuses. Angie se trouvait toujours un peu gênée pour répondre à ses suggestions. Comme ils arrivaient devant sa camionnette rouge, elle se félicita d'être venue avec son propre véhicule, ce qui lui permettait de rentrer seule et de clore ainsi un sujet délicat.

– Vous avez raison, je devrais peut-être engager quelqu'un pour m'aider à faire les pâtisseries pendant la semaine, répondit-elle d'un ton léger, en fouillant son sac à la recherche de ses clefs et en évitant soigneusement de croiser le regard de Spencer. Les semaines à venir vont être dingues avec toutes les commandes spéciales pour les fêtes.

Elle trouva enfin ses clefs et ouvrit la portière de la camionnette. Elle remercia Spencer pour la soirée délicieuse qu'elle venait de passer, et, comme à l'accoutumée, ce dernier l'embrassa pour lui souhaiter bonne nuit.

Ce ne fut que plus tard, tandis qu'elle roulait à belle allure sur la route de campagne sinueuse qui menait chez elle, qu'elle s'interrogea sur la façon dont Spencer l'avait embrassée ce soir-là. Était-ce son imagination ou le vétérinaire l'avait-il vraiment serrée plus fort que d'ordinaire? Était-il devenu plus possessif, plus passionné? Angie s'engagea sur le chemin de terre qui conduisait à sa maison.

Ils n'avaient jamais vraiment parlé ensemble de l'avenir, de leur avenir. Peut-être le moment était-il venu. Elle le verrait vendredi soir au bal de la Société historique. Peut-être pourraient-ils parler après. Leur relation était plus qu'une amitié, sans pour autant être une véritable liaison amoureuse. Le temps était venu de choisir quelle direction prendre. Spencer semblait caresser de secrets espoirs. C'était un homme formidable, et pour rien au monde, Angie ne voulait le blesser...

Angie se gara devant la maison et éteignit le moteur. Il était encore bien trop tôt pour qu'elle envisage de se remarier. Elle n'était pas prête. Mais quand le temps viendrait, Spencer ne serait-il pas exactement l'homme qui lui fallait : stable, sensible, loyal ? Malgré l'opinion d'Audrey, maintes fois formulée au grand dam d'Angie, la jeune femme ne voulait pas repousser un homme qui pouvait se révéler si bénéfique pour elle.

Elle se dirigea vers la porte de derrière, passant devant un massif de fleurs qui avait resplendi pendant les beaux jours, puis devant son jardin d'herbes aromatiques, fort commodément situé au pied du perron de la cuisine.

Elle entra dans la maison et referma la porte derrière elle, en se demandant pourquoi sa vie était soudain devenue si compliquée. Si seulement quelqu'un avait pu lui donner la recette du bonheur parfait.

3

ANGIE s'était fixé un emploi du temps minuté avec précision, qui lui assurait de sortir de chez elle exactement à l'heure, qu'il vente ou qu'il neige. La sonnette stridulée de son réveil électronique retentissait à six heures précises. Elle prenait une douche rapide, tressait ses cheveux, et enfilait ses vêtements de travail – un blue jean, et un tee-shirt ou un chandail. Elle avalait une tasse de café, puis faisait sortir son chien et rentrer son chat. Elle était au volant de sa camionnette à sept heures moins le quart au plus tard.

Bien entendu, ce planning minutieux ne lui laissait guère le temps de s'attarder devant sa coiffeuse pour se maquiller. Et si elle décidait de changer trois fois de pantalon, deux fois de tee-shirt, pour finalement enfiler une jupe qui lui plaisait, il était hors de question qu'elle pût quitter la maison à l'heure.

Comme la camionnette s'engageait sur la route, Angie dégagea une mèche de cheveux qui retombait sur son front. Elle n'avait jamais été aussi coquette depuis le jour où elle était allée demander un prêt à sa banque.

Arrêtée à un feu rouge – le seul et unique de Chatham Falls –, elle tourna le rétroviseur vers son visage pour s'inspecter. Elle attendait la visite de sa comptable pour faire les comptes mensuels de sa petite entreprise. Pourtant, elle n'avait jamais auparavant soigné sa tenue plus qu'à l'ordinaire pour une visite de Phyllis Pierson. Se pouvait-il qu'il y ait une autre explication à ce soudain accès de coquetterie? Se pouvait-il que cet ex-champion de base-ball, qui avait un faible pour les croissants, et le don de la mettre dans tous ses états, y fût pour quelque chose?

Audrey était déjà au travail. Elle nappait des petits cakes d'un glaçage onctueux quand Angie fit son entrée. Elle dit bonjour à son amie et ôta son manteau. Audrey ne fit pas une remarque, mais son sourire malicieux en disait bien assez comme ça.

– J'ai rendez-vous avec la comptable, aujourd'hui, annonça Angie, comme pour s'excuser, en nouant autour de sa taille un petit tablier blanc.

– Ah bon... et? interrogea Audrey en levant les yeux de son ouvrage.

– Et rien. Nous devons revoir les comptes, payer des factures, la routine...

– Tout ça m'a l'air très bien, répondit Audrey en reprenant son activité un instant interrompue.

Puis après un silence, elle poursuivit d'un ton calme :

– J'espère que Phyllis appréciera le soin que tu as apporté à ton maquillage aujourd'hui. Il est vraiment superbe.

Fort heureusement, Angie tournait le dos à son amie. Aussi put-elle rougir jusqu'aux oreilles tout à son aise sans qu'Audrey la vît. Elle ramassa la feuille de travail du jour sur la table à découper, et raya de la liste les douze petits cakes qu'Audrey venait de confectionner. Plusieurs restaurants lui avaient passé commande, et elle voulait avoir une fournée de pains à la banane prête pour neuf heures trente, pour remplacer celle qu'elle avait stupidement gâchée la veille. Elle se mit aussitôt au travail.

Quand Luke Wilder viendrait ce matin, elle resterait dans la cuisine. Elle ne montrerait pas le bout de son nez, même si Audrey décidait de mettre le feu à l'immeuble.

Comme la matinée s'écoulait, Angie parvint à se concentrer totalement sur son travail. Elle mit les miches de pain à la banane à cuire exactement à l'heure prévue, et amorça la minuterie. Elle réalisa soudain qu'elle avait à peine songé à Luke, sauf une fois, quand la sonnette de la porte avait retentit, et qu'elle avait violemment sursauté.

A midi et demi, Audrey décida d'aller déjeuner, la laissant seule pour accueillir d'éventuels clients.

– Je reviens dans une heure, lança-t-elle en enfilant sa veste.

– A plus tard, répondit Angie, tout occupée à confectionner des biscuits de farine d'avoine aux raisins secs.

– Heu... Tu as un peu de farine sur le front, Angie, ajouta Audrey en s'éloignant vers la porte.

– Merci.

– Et un peu de mascara sous ton...

– A plus tard, Audrey, répéta Angie, vivement agacée.

Il était près de cinq heures quand Audrey ouvrit la porte de la boutique pour annoncer à Angie que Phyllis venait d'arriver.

Angie jeta un coup d'œil sur sa montre. Était-il déjà cinq heures?

– Dis-lui que je serai prête dans une minute. Je voudrais juste finir ce gâteau. Mme Connelly sera là d'une minute à l'autre pour le prendre.

Angie fouillait fébrilement dans une boîte de décoration pour gâteaux d'anniversaire, en quête d'un joueur de base-ball en sucre. Pourquoi diable le fils Connelly ne jouait-il pas au basket-ball, ou au football? Ou au hockey sur glace? Certes, il n'avait que sept ans... Un peu trop jeune et petit pour jouer au basket. Finalement, sous une pile de danseuses en sucre candi, elle trouva un joueur de base-ball.

Elle posa la petite figurine sur la table et ôta son tablier. Elle avait assez travaillé comme ça pour aujourd'hui.

– Vous êtes superbe, la complimenta Phyllis, comme elle traversait la boutique pour se servir une tasse de café. Vous sortez, ce soir?

– Heu, non, rien de particulier.

A vrai dire, elle n'avait d'autres plans pour la

soirée que de dîner sur le pouce et de se coucher avec un bon livre. Un de ces livres de conseils pour les femmes qui choisissent systématiquement l'homme qu'il ne leur faut pas.

Quelques heures après son retour à la maison, Angie s'allongea en effet sur son canapé pour lire. C'était un gros livre de poche qu'elle venait d'acheter au supermarché, et qui proposait un programme détaillé pour tirer d'affaire les femmes ayant tendance à jeter leur dévolu sur les hommes dangereux.

Elle parcourait distraitement une interminable liste de types d'hommes présumés « dangereux » pour le sexe faible quand on frappa un coup à la porte.

– J'arrive! lança-t-elle.

Ses chaussettes glissaient sur le parquet ciré, et elle manqua de tomber plusieurs fois avant de parvenir à la porte d'entrée. On frappa encore, plus fort et plus longuement.

– Nom de..., qui que vous soyez, j'espère que vous avez une bonne raison de me faire risquer de me casser le cou!

Qui diable pouvait-ce être, à cette heure? Jezebel, sa chienne, dévala l'escalier en aboyant furieusement du palier où elle dormait la nuit.

– Couché! ordonna Angie, en saisissant fermement le collier de Jezebel tandis qu'elle entrebâillait la porte.

C'était Luke Wilder. Jezebel continua d'aboyer, tirant sur le bras d'Angie pour essayer de renifler le jeune homme.

– Oh, bonsoir...
– J'espère que je ne vous dérange pas?
Il portait son blouson de cuir, un chandail bleu marine et un blue jean. Dehors, l'air était vif et les joues du jeune homme étaient teintées de rose.
– Heu... non. Je lisais.
Jezebel gémit un peu et tira encore pour s'approcher de Luke.
– Du calme, Jezzie.
– Ne vous en faites pas, vous pouvez le relâcher, fit Luke.
Il tendit la main vers la chienne, qui la renifla d'abord prudemment, pour ensuite la lécher. Luke rit et lui caressa la tête. Angie soupira, se sentant trahie. Sa propre chienne était maintenant séduite. On ne pouvait plus compter sur personne.
– Que puis-je faire pour vous?
– Je suis venu pour ma tasse de sucre, répondit-il en tirant de sa veste une petite tasse de porcelaine.
Angie fut un instant tentée de lui rappeler l'existence de la supérette ouverte jour et nuit, sur la nationale 233. Au lieu de quoi, elle l'observa un instant en hochant la tête et prit la tasse.
– Bon, entrez, lâcha-t-elle finalement en ouvrant en grand la porte.
Elle traversa le salon en direction de la cuisine. Luke la suivit, en jetant un regard discret autour de lui, et en s'arrêtant, admiratif, devant le feu qui mourait dans la cheminée, devant la chaise à bascule ancienne, et le plaid en mohair étendu sur le canapé.

Dans la cuisine, elle prit un grand bocal de verre plein de sucre et remplit la tasse de Luke.

– Voilà, fit-elle en lui tendant sa tasse pleine. Vous ne m'en voudrez pas si je vous fais sortir par la porte de derrière? Je ne veux pas que Jezebel recommence à s'exciter.

En souriant, le jeune homme baissa les yeux sur la tasse, puis dévisagea de nouveau Angie.

– C'est tout?

Angie regarda la tasse à son tour.

– Vous en voulez plus? Tenez, vous n'avez qu'à prendre le pot. Quand vous n'en aurez plus besoin, vous n'aurez qu'à le poser sur les marches de la cuisine.

– En fait, pour être tout à fait honnête, je n'ai absolument pas besoin de sucre. Je pensais simplement que nous nous étions quittés sur un malentendu hier... Je venais en bon voisin pour faire un brin de conversation.

– Vous venez en bon voisin? Par opposition à votre attitude d'hier, qui était un peu présomptueuse.

– Ce n'était pas de la présomption. C'était un test.

– Oh, vraiment? répondit la jeune femme en s'adossant au comptoir de la cuisine. Et quelle a été la conclusion de votre test?

– Vous ne voudriez tout de même pas que j'abatte mes cartes aussi tôt?

– Non, certes, et c'est de bonne guerre. Vous voulez une tasse de thé, Luke?

– Volontiers, je vous remercie.

Il sourit et s'assit à la table de la cuisine. Angie remplit la bouilloire, et la posa sur la grosse cuisinière en métal émaillé. Ainsi, Luke Wilder semblait aimer les défis. Eh bien, elle allait lui en donner pour son argent, et la conversation de bon voisinage qu'elle lui réservait calmerait définitivement ses ardeurs.

– Cette maison est vraiment... magnifique, fit Luke en laissant son regard se promener sur les murs de la cuisine. Qu'est-ce que c'est, ça, au mur? C'est vous qui l'avez peint?

Une frise représentant des feuilles de vigne entremêlées courait le long du plafond, tout autour de la pièce.

– Non. J'ai utilisé un stencil.

– C'est très joli. J'aimerais bien faire quelque chose comme ça dans ma cuisine. Enfin, une fois que j'aurais trouvé le moyen d'éviter que des morceaux de mon plafond ne tombent dans mon bol de café tous les matins.

Angie grimaça.

– Eh bien, il semble que votre maison ait besoin de sérieuses réparations. Ils y a d'excellents maçons à Hudson, qui se spécialisent dans la restauration de maisons anciennes.

– Je pensais faire le gros du travail moi-même.

La bouilloire commença à émettre un long sifflement, et Angie se tourna vers la cuisinière pour préparer le thé.

– Vraiment? Ce n'est pas aussi facile que ça en a l'air, vous savez.

La jeune femme était agréablement surprise.

Elle avait supposé que Luke Wilder n'était pas du genre à mettre la main à la pâte, et qu'il aurait fait venir une armée de maçons, de charpentiers et d'électriciens pour remettre en état sa nouvelle résidence. Elle n'imaginait pas qu'il puisse avoir la patience et l'obstination nécessaire à la restauration d'une maison ancienne comme la villa Rosewood.

– Qui dit que ça a l'air facile? répliqua Luke.

– Sans parler du temps que ça prendra... Surtout si vous voulez le faire seul.

Elle déposa une théière fumante d'Earl Grey sur la table, deux tasses et une assiette de petits gâteaux.

– Et vous, vous avez retapé votre maison toute seule?

– Oui, presque entièrement. Vous vous y connaissez un peu en restauration?

– Absolument pas, mais j'ai toujours aimé apprendre sur le tas, répondit-il en croquant un biscuit.

– Alors, vous n'allez pas vous ennuyer, répliqua-t-elle en souriant involontairement.

Elle servit le thé.

– Dites-moi si je me trompe, mais j'ai cru détecter une petite note de scepticisme dans le ton de votre voix, chère voisine?

– N'était-ce qu'une petite note? Je pensais avoir été plus directe que ça...

– Je vous amuse, n'est-ce pas?

– Vous m'amusez?

– Allez, avouez-le. C'est écrit noir sur blanc sur

votre joli sourcil réprobateur, Angie. Vous êtes prête à parier cent millions de dollars que je ne tiendrai pas cinq minutes à décaper des parquets ou à reboucher des fissures.

– Est-ce si évident?

– Oui. Dites-moi, chère voisine, que me vaut la méfiance que je vous inspire? Je suis sain de corps et d'esprit, et il ne faut pas être une lumière pour savoir par quel bout tenir un marteau.

Angie sourit à contrecœur. Luke pouvait se montrer tout à fait charmant. Cela le faisait-il entrer dans la catégorie numéro cinq ou numéro huit de son livre?

– Oh, je ne sais pas, dit-elle en haussant les épaules. Je sais que vous pensez être un garçon réfléchi, mais curieusement je n'arrive pas à vous prendre au sérieux. Ce n'est pas votre genre.

– Mon genre? Ah, vous dites ça parce que j'ai oublié ma trousse à outils à la maison? Bon sang... Je déteste sortir sans elle. Je me sens comme nu.

Angie ignora ces simagrées, et poursuivit :

– J'ai vu beaucoup de gens de la ville s'installer dans de vieilles maisons de la région avec la ferme intention de les remettre en état tous seuls... En général, ils laissent vite tomber et ne tardent pas soit à vendre, soit à faire appel à une entreprise. En plus vous n'avez pas l'air d'être du genre à tenir en place...

– C'est vrai, je ne me suis jamais fixé nulle part. Très perspicace de votre part.

– Merci, répondit la jeune femme en avalant une gorgée de thé.

– C'est pour cela qu'il m'importe de restaurer moi-même Rosewood, poursuivit-il. J'ai commencé à jouer au base-ball, en tant que professionnel s'entend, à l'âge de dix-neuf ans. Pendant la saison, je voyageais constamment d'une ville à l'autre. Le matin, il m'arrivait de regarder sur l'emballage des petits savons d'hôtel pour savoir dans quelle ville je me trouvais. Quand la saison était finie, et que j'allais à la fac, je voyageais encore plus : en Europe, en Extrême-Orient, n'importe où. J'avais besoin de me détendre vraiment avant de reprendre l'entraînement de printemps.

– Quelle vie! On dirait l'armée.

– Je me sentais, en effet, un peu comme à l'armée parfois. Je n'ai jamais eu de « chez-moi » à proprement parler. Pas depuis longtemps, en tout cas.

– Et New York?

– Je possède un appartement dans l'East Side, près du parc. Jolie vue, et le service est parfait, bien sûr...

– Bien sûr...

– C'est luxueux, mais totalement impersonnel. C'est à cela que ça sert, j'imagine.

– Et vos affaires? Cela fait une trotte, de New York à Chatham Falls... Vous avez l'intention de vous déplacer en hélicoptère? Ou en jet privé, peut-être?

– Le Cessna [1] est au hangar. Réparation bisannuelle de routine. Quant à l'hélicopère, ce n'est

1. Petit avion de tourisme.

pas une si mauvaise idée que ça. Et si Sarah Fergusson a appris à le piloter, je dois bien en être capable, moi aussi. Enfin, si vous m'autorisez à me poser dans le champ derrière votre verger. Autour de Rosewood, c'est beaucoup trop boisé...

– Faites comme chez vous.

– De toute façon, je n'aurai pas besoin de descendre en ville plus d'une ou deux fois par semaine. La boîte tourne pratiquement toute seule. J'ai une équipe de jeunes loups aux dents longues qui s'occupent de tout, et qui me donnent l'impression de marcher sur leurs plates-bandes quand je passe au bureau.

Angie avait quelque peine à le croire. Elle voyait en lui le genre d'homme d'affaires qui ne devait pas son succès à des connaissances scolaires, mais plutôt à un instinct aigu, un flair inné. Il s'avérait déjà être un véritable génie dans sa façon de manipuler les gens – il n'y avait qu'à voir le brio avec lequel il la manipulait, elle!

– Vous voulez dire que, contrairement à la croyance populaire, le chef d'entreprise n'est pas un homme indispensable?

– Aucun joueur n'est indispensable. Ni au baseball ni en affaires. En outre, il m'est venu à l'esprit qu'il y avait un tas d'autres choses formidables dans la vie que de gagner de l'argent. Des choses que j'avais repoussées depuis trop longtemps.

– Comme d'apprendre à piloter un hélicoptère?

– Il me faut d'abord trouver l'hélicoptère. Non,

je pensais plutôt à quelque chose comme me marier, avoir des enfants, vieillir – ou mûrir, si vous préférez – avec quelqu'un. Nous pourrions mettre notre dentier dans le même bocal, tous les soirs. Ce genre de petites choses...

– Il vous faut d'abord trouver le bocal, observa-t-elle d'un ton neutre.

– J'ai commencé à chercher...

– Ce n'est pas difficile à trouver. Je suis sûre que quelqu'un comme vous finira par en trouver un à sa convenance.

– En effet, mais je veux que ce soit exactement celui qu'il me faut. Celui qui me durera toute une vie.

Elle le contempla un instant. Soit il était un véritable romantique, soit un cabotin extrêmement doué et convaincant.

– Et comment saurez-vous que c'est le bon?

– Quand je l'aurai trouvé, je le saurai.

Angie se tut à nouveau, sentant peser sur elle la chaleur de son regard.

– Un peu plus de thé?

– Non merci.

– Il y a pourtant une chose que je ne comprends pas, insista-t-elle en remplissant sa propre tasse. Pourquoi ici? A Chatham Falls?

Il haussa les épaules.

– Pourquoi pas? C'est un joli patelin. C'est propre, préservé, et à une distance suffisante de la ville. J'en ignorais même le nom jusqu'à ce que Rosewood me tombe entre les mains à la suite d'une transaction heureuse. Tout d'abord, j'avais l'intention de revendre immédiatement la propriété, sans d'ailleurs me faire beaucoup d'illusions sur ce que cela me rapporterait. Puis, quand je suis venu inspecter les lieux, toutes sortes de choses qui me tracassaient depuis plusieurs mois se sont mises en place dans mon esprit, et j'ai décidé d'essayer de vivre ici.

– Je vois, répondit-elle, pensive.

Il rit doucement, et le timbre riche et chaleureux de sa voix emplit la pièce.

– Non, je ne crois vraiment pas que vous voyiez, Angie. Je crois que vous vous moquez encore de moi. Mais je n'insisterai pas, pour cette fois...

– C'est bien aimable à vous. Merci.

– Je vous en prie. Disons simplement qu'il fait bien froid dehors, et que le chemin qui mène chez moi est loin... Je ne vais pas risquer de perdre l'hospitalité que vous m'offrez si gentiment.

– Et vous, tout seul, dans cette grande maison vide, sans un bon gros bocal... pour y déposer votre dentier.

– Exactement.

Il sourit encore, et elle se sentit attirée par lui comme une aiguille d'acier à un aimant. Sa compagnie était si plaisante, apaisante. Pourtant, il y avait comme de l'électricité entre eux... Comme une étincelle qui ne demande qu'à provoquer un feu dévastateur. Ses intentions étaient sans aucun doute tout à fait nobles, mais il eût été dangereux de voir en lui un éventuel mari. Il ne se passerait pas deux mois avant qu'il ne se lasse d'être un bon époux. Peut-être tiendrait-il jusqu'aux premières neiges...

– Si vous souhaitez partager les noires pensées qui assombrissaient votre visage, ne vous gênez pas...

– Hmmm? Oh, je suis désolée... Je pensais à... à la neige.

– A la neige?

– Heu, oui. Les météorologues prévoient un enneigement exceptionnel pour cet hiver.

L'œillade sceptique que lui décocha le jeune homme fit comprendre à la jeune femme qu'il n'était pas dupe de cette explication.

– Ah bon. Merci de me prévenir.

– Vous devriez vous abonner à l'*Almanach des Campagnes*, Luke, taquina-t-elle. La lecture en est enrichissante, et, après trois pages, vous êtes sûr de dormir comme un bébé.

– Je préfère la télévision, merci. Et si vous me montriez le reste de votre maison? Enfin... si ce n'est pas indiscret de ma part.

– Mais pas du tout. Suivez-moi.

Ainsi, il restait. A contrecœur, elle dut s'avouer que cela lui faisait plaisir.

Luke la suivit à travers les pièces de la fermette de deux étages. Il avait un œil pointu pour tout et lui demandait sans cesse des détails sur les diverses techniques qu'elle avait utilisées pour rénover sa maison, jusqu'au grain du papier de verre pour décaper les parquets.

De toute évidence, il n'entendait rien aux réparations qui l'attendaient. Plus d'une fois, Angie fut sur le point de lui proposer de l'aider à commencer les travaux, mais elle parvint, à chaque reprise, à se retenir : il ne manquerait pas d'interpréter sa proposition au-delà de ses propres intentions.

A la fin de la visite, Luke insista pour qu'Angie lui montre de vieilles photos de la maison, avant la restauration. Assis côte à côte sur le tapis, devant la cheminée du salon, ils regardèrent une boîte entière de photos.

C'était indéniable, et Angie avait renoncé à se voiler plus longtemps la face, la jeune femme était vivement troublée par la présence de Luke, et elle se demanda s'il éprouvait pour elle la même attirance. Si c'était le cas, il n'en laissait rien paraître. Pendant qu'elle commentait les clichés, leurs épaules se touchaient et leurs mains se frôlaient de temps à autre. Leurs visages étaient si proches l'un de l'autre qu'à certains instants, il aurait pu effleurer ses lèvres de sa bouche, en inclinant très légèrement la tête. Mais il n'en fit rien, ce dont elle prit bonne note.

L'idée ne semblait même pas l'avoir effleuré. En un sens, elle était soulagée de voir qu'il ne cherchait pas à profiter de la situation, mais elle était également déçue.

Comme Angie refermait la boîte, une des photos tomba et vint atterrir juste devant Luke.

– Attendez, vous en avez fait tomber une.

Il la ramassa, et s'apprêtait à la lui rendre quand quelque chose attira son œil. Il étudia soigneusement la photographie.

Il ne fut pas difficile à la jeune femme de voir ce qui avait retenu son attention. C'était une photo d'elle et Chad, prise lors d'un tournage dans les Caraïbes. Chad avait eu un rôle important dans un film d'aventures, et Angie était venue pour un week-end lui tenir compagnie. Ils étaient sur le pont d'un voilier, et se tenaient tendrement enlacés, à la limite de ce que la bienséance autorisait. Chad était vêtu d'un costume de pirate, et Angie portait pour tout vêtement un minuscule bikini et son large sourire. Ils avaient l'air au comble du bonheur, songea la jeune femme, probablement parce qu'ils n'étaient pas encore mariés à cette époque.

– Qui est l'heureux élu? s'enquit Luke.

– Mon ex-mari. Chad Daniels. Peut-être l'avez-vous reconnu. C'est un acteur.

– Oh oui, bien sûr. Il joue dans cette série télévisée où deux vétérans du Viêt-nam font les détectives privés à Hawaii.

– Exact.

– Si j'avais su que vous aviez un faible pour les zozos déguisés, j'aurais mis ma cape, mon casque et mon épée, fit-il en lui rendant enfin la photo.

– C'eût été en pure perte : il y a bien longtemps que je suis guérie de cette tare...

– Vous dites ça comme s'il s'agissait d'une grippe.

– Ou plutôt comme des oreillons : le genre de maladie qu'on attrape une fois dans sa vie, une seule. Et si on a de la chance, on ne l'attrape pas du tout.

Il se tint coi un instant, observant la jeune femme qui regardait dans le vague. Il étendit ses jambes devant lui et s'appuya sur les coudes.

– C'est curieux, mais je n'arrive pas à m'y faire : vous avec Chad Daniels. Sans vouloir vous froisser, vous ne faites pas le couple le mieux assorti qu'on puisse imaginer.

Angie sourit.

– Nous étions le couple le plus mal assorti qui soit. C'est sans doute pour ça que ça n'a pas marché ;

– C'est évident, dit-il en tirant un coussin du canapé et le calant sous sa tête. Maintenant, ce que je ne comprends pas non plus, c'est comment une fille comme vous a pu finir avec un type pareil ?

Angie fut d'abord tentée de lui répondre, poliment, mais fermement, que cela ne le regardait pas. Elle avait toujours été une personne très discrète et pudique, et n'avait pas pour habitude de raconter ses turpitudes sentimentales autour d'une tasse de thé et d'une assiette de petits gâteaux. Pourtant, le ton rassurant de Luke, et le lien, quoiqu'encore très diffus, qui s'était établi entre eux depuis quelques heures, la porta à croire qu'elle pouvait se confier à lui. Elle ne savait pas pourquoi ni comment, mais elle se sentait extrêmement bien avec cet homme.

– Je travaillais à Manhattan quand nous nous sommes rencontrés dans une boîte de relations publiques. Je sortais tout juste de la fac, avec un diplôme inutile en poche, et j'étais l'assistante de l'assistant de l'assistante..., bref, la dernière roue du carrosse. Mais le travail était passionnant. Enfin, au début. J'ai fait la connaissance de Chad quand il est venu à une audition pour un spot publicitaire. Il était assis dans la réception, avec une kyrielle de jeunes acteurs avides de réussite comme lui, et il est parvenu à me convaincre de mettre son nom au début de la liste pour qu'il n'ait pas à attendre comme les autres. Il a décroché le job et en a conclu que je lui portais chance... Le lendemain, il me demandait de sortir avec lui.

– Et?

– Et j'ai dit oui. On est allé au restaurant chinois, et... on s'est mariés.

– Eh bien, vous n'avez pas perdu votre temps.

– Non, on ne s'est pas mariés tout de suite. Plus tard, seulement...

– Quelques jours plus tard? Vous travailliez encore dans les relations publiques?

– Oui, mais j'avais alors des assistants qui avaient eux-même des assistants.

– Je vous vois bien dans la peau d'une femme d'affaires accomplie. Froide, déterminée, assise au bout d'une immense table de conférences...

– Ah bon?

C'était maintenant au tour d'Angie d'être surprise. En s'installant à la campagne, elle pensait s'être totalement débarrassée de son image de femme d'affaires énergique et sans pitié.

– N'ayez pas l'air si offensé, Angie, taquina Luke. Je pensais vous faire un compliment. Ce n'est pas facile de vous faire sortir de vos gonds.

– Merci.

C'était vrai, la jeune femme savait fort bien qu'elle avait les reins et les nerfs solides, un trait de caractère qui s'était révélé précieux, non seulement à New York, dans la jungle des affaires, mais aussi ici, dans les rudes forêts du Nord. Peu de gens avaient d'ascendant sur elle... Et il semblait que Luke faisait partie de ceux-là.

– Alors, pourquoi avez-vous laissé tomber? Trop de tensions?

– Non, ce n'était pas ça. Oh, il y avait de la tension, bien sûr, mais ça ne me gênait pas, à l'époque. Au contraire, ça me maintenait à flot dans les moments de découragement. Et puis, avec Chad en tournage à l'étranger la plupart du temps, je pouvais me plonger à fond dans le travail pour tromper l'ennui. Au début, j'étais aveuglée par le prestige du milieu et le pouvoir que je pensais détenir. Puis est venu le temps des déceptions. Au bout du compte, j'avais l'impression de gagner ma vie avec des mensonges... C'est devenu écœurant.

– Écœurant?

– Vous savez comment ça se passe : les gens engagent des firmes de relations publiques pour se faire découvrir du public, eux ou un produit donné. On fait du bruit, on crée un événement de toutes pièces, et soudain, les journaux et la télévision en parlent. Ce sont des nouvelles artificielles, fabriquées.

– Et vous n'aviez plus envie d'en fabriquer.

– Exactement.

– Louable scrupule. Alors, vous avez décidé de laisser tomber Madison Avenue et ses cocktails chics pour devenir pour de bon Mme Chad Daniels?

– Pas exactement. Chad et moi étions déjà séparés à ce moment.

– Oh? J'ai dû manquer un ou deux épisodes, alors.

– Vous n'avez rien manqué de très original... L'histoire classique du fiasco conjugal.

– Il aimait dormir avec la fenêtre ouverte et vous avec la fenêtre fermée?

– Ça, entre autres choses.

– Ou un rouge à lèvres suspect sur le col de sa chemise, et des retours au bercail un peu tardifs.

Cette fois, Angie ne répondit pas, mais son silence était éloquent.

– Je suis désolé...

– Non...

– ... Pour lui. C'est un abruti, de toute évidence. Mais enfin, il ne vous méritait sans doute pas. j'espère que vous vous en rendez compte.

– Ça ne pouvait pas marcher. Nous étions trop différents. Chad ne pouvait pas être fidèle. C'était inconcevable pour lui. Je le savais avant notre mariage, mais je pensais pouvoir le changer.

Luke se redressa sur son séant passa une main dans ses cheveux.

– Alors, par-dessus le marché, vous lui pardonnez.

– Quand cela s'est passé, j'aurais voulu mourir. J'étais furieuse, amère, humiliée... Je le haïssais et je me détestais. Mais, tout ça, c'est du passé, maintenant, et je lui pardonne. Enfin, je lui pardonne, si c'est le mot qui convient... Je n'y pense même pas, sauf...

Angie s'interrompit. Elle ne comprenait pas pourquoi elle se confiait si facilement à Luke.

– Je n'y pense pas. C'est tout.

– Non... Attendez. Vous alliez dire autre chose. Sauf quoi...?

– Sauf rien. J'oublie.

– Angie, insista le jeune homme en lui caressant doucement le bras. Allez, dites-moi. Il y a quelque chose que vous ne lui pardonnez pas. Qu'est-ce que c'est?

– Quelle différence cela peut-il faire?

– Je veux savoir. Ce salaud ne vous a quand même pas frappée?

Luke lui parlait de ce ton protecteur et inquiet comme s'il s'était adressé à sa propre sœur... Ou à sa femme. Il semblait détester Chad plus qu'elle-même ne l'avait jamais haï.

– Non, non! Ce n'est rien de ça.

– Quoi, alors...?

– C'est la manière dont il a utilisé le divorce pour se faire de la publicité. Il savait pourtant à quel point j'étais blessée. Nous aurions pu garder la tête froide, trouver un arrangement tranquillement, en adultes, mais Chad faisait toujours en sorte que les moindres détails soient publiés par les journaux à scandale. Tout ce qui pouvait le faire monter dans l'audimat était bon, c'est déjà assez humiliant d'être trompée par son mari, mais de voir sa vie privée souillée, exposée à la une des publications les plus vulgaires du pays...

La voix de la jeune femme se brisa en un sanglot.

– Ne dites plus rien, ordonna Luke en passant un bras autour de ses épaules. J'ai compris. Moi qui ai toujours détesté qu'on laisse des femmes reporters envahir les vestiaires après un match... Ça a dû être affreux pour vous.

– Au bout de quelques temps, je pouvais à peine mettre le nez hors de chez moi sans voir surgir un photographe. On m'appelait à toute heure du jour et de la nuit pour me demander quel effet cela me faisait de découvrir que...

– Je comprends que vous ayez perdu le goût des relations publiques.

– Chad et mon travail constituaient désormais pour moi deux facettes d'une même mentalité détestable que je voulais fuir à tout prix. Je voulais changer. Changer pour quelque chose de vrai. Vous comprenez ce que je veux dire?

Elle se tourna vers le jeune homme. Le visage de Luke était à quelques centimètres seulement du sien. Ses épais cheveux brillait comme des flammes reflétant le feu dans l'âtre. Ses yeux scintillaient comme deux grands saphirs bleu nuit. Sur sa bouche sensuelle, la trace d'un sourire.

– Je crois que nous cherchons tous les deux la même chose, fit-il d'une voix sourde qui fit naître des éclairs de passion dans le cœur d'Angie.

La caresse de sa bouche sur les lèvres de la jeune femme fut infiniment douce, Angie se sentait comme butinée par ce contact suave qui l'incitait, sans la presser, à s'offrir plus à son baiser. Luke l'enlaçait maintenant, et l'étau protecteur de ses bras puissants, de ses longues mains, l'amena peu à peu, à s'allonger contre lui sur le tapis. Comme leurs langues se mêlaient en un duel intime, Angie passa les mains autour du cou du jeune homme, ses doigts fourrageant dans les sauvages boucles blondes de sa nuque.

Il sentait si bon. Il sentait le pin, le bois fumé, le genévrier.

Angie savait que depuis l'instant où leurs regards s'étaient croisés pour la première fois dans sa boutique, la veille, pas une parole ne s'était dite, pas un geste ne s'était accompli qui n'ait contribué à les mener à l'instant qu'ils partageaient maintenant. Combien de fois, depuis vingt-quatre heures, avait-elle désiré son baiser? Cette question demeurait sans réponse, et n'importait plus puisque le moment secrètement tant attendu dépassait ses rêves les plus fous, les plus passionnés.

Leur rencontre était comme un feu ravageant une pinède : sauvage, déchaîné, incontrôlable. Comme les mains fortes de Luke épousaient les contours délicats de son corps, sa bouche se fit plus avide, son baiser plus ardent, Angie s'abandonna entièrement à son étreinte pour goûter pleinement chacun des sensuels assauts du jeune homme.

– Dieu sait que je ne suis pas religieux, murmura Luke, mais je vais m'agenouiller ce soir et remercier le ciel de vous avoir donné un mari imbécile...

Angie ouvrit lentement les yeux. Soudain, le charme était rompu. Oui, Chad Daniels était un imbécile, mais elle aussi avait été une idiote pour avoir pu croire en un homme comme lui. Et tout allait recommencer. Comme Chad, Luke était incroyablement séduisant, comme Chad, il avait le pouvoir de faire naître en elle les cent fleurs chatoyantes du plaisir. Mais tout cela n'était pas pour elle : elle devait y mettre un terme avant qu'il ne soit trop tard.

Luke se pencha sur sa bouche pour l'embrasser de nouveau, mais elle détourna la tête et se raidit dans ses bras.

– Angie... Qu'est-ce qui ne va pas?

Elle se glissa hors de ses bras et s'assit sur son séant.

– Nous... nous nous égarons. C'est exactement ce que je voulais éviter.

– Oh, vraiment? Excusez-moi, mais j'avais cru comprendre que ça ne vous déplaisait pas. On ne peut pas dire que votre réaction a été celle d'une femme qui ne veut pas qu'on la touche. Vous pourriez m'expliquer ça?

– Je... j'étais curieuse. Intriguée. C'est pour ça que j'ai répondu à vos caresses. C'est tout.

– C'est tout? Hum... Si c'est votre façon de satisfaire une vague curiosité, j'aimerais bien vous voir lorsque vous êtes vraiment intéressée...

– Écoutez, trancha Angie, je ne veux pas d'une aventure avec vous. Pas de cette façon. Nous pouvons être voisins, même amis, mais rien de plus.

– C'est à cause de Spencer Peterson? Vous êtes amoureuse de lui?

– Non. Je ne réponds pas aux avances de Spencer. Ce n'est pas comme ça entre nous...

– Après avoir rencontré le Dr Peterson, ça me paraît assez évident. – Il semblait soulagé. Il ramassa son blouson sur le canapé et l'enfila. – Comme on dit au base-ball, je reviendrai jouer un autre jour.

Encore sous le coup de leur étreinte, Angie manqua de mots pour répondre à son insupportable assurance. Il se dirigeait déjà vers la porte, et elle dut hâter le pas pour le rattraper.

– Eh, vous avez oublié votre sucre, cria-t-elle comme il ouvrait en grand la porte.

Une bourrasque glacée la fit reculer d'un pas. Sans se retourner, il jeta un coup d'œil par-dessus son épaule, et murmura :

– Ne vous en faites pas. J'ai obtenu ce pour quoi j'étais venu. Bonne nuit, chère voisine!

– Bonne nuit!

Si elle avait eu la tasse de sucre en main, elle la lui aurait lancée. Elle n'eut d'autre alternative que de claquer violemment la porte. Jamais, sur le visage d'un homme, elle n'avait lu d'expression aussi satisfaite et vaniteuse.

4

IL fallut longtemps à Angie pour se remettre du baiser de Luke. Elle eut beaucoup de mal à s'endormir et se sentit d'humeur étrange le lendemain matin. Le souvenir de ce court moment passé dans les bras du jeune homme s'imposait à son esprit inopinément. Dès qu'elle entendait la porte de la boutique s'ouvrir, son cœur faisait un bond dans sa poitrine, et elle s'attendait à voir apparaître le sourire ravageur de l'ancien champion de base-ball.

Mais Luke ne vint pas ce jour-là ni le suivant. Quand Angie passait devant la villa Rosewood en descendant au village ou en rentrant chez elle, la maison semblait sombre et abandonnée. Aucune lumière ne passait à travers les fenêtres, et l'Alfa Romeo rouge avait disparu de l'allée. Elle fut tentée de s'y arrêter un soir sous prétexte de venir prendre de ses nouvelles, pour lui montrer qu'elle ne lui tenait pas grief de son attitude, mais y renonça : Luke Wilder méritait-il une telle attention ?

Elle choisit donc de l'ignorer, ce qui était plus

facile à dire qu'à faire. Les mêmes questions revenaient sans cesse à son esprit : avait-il déjà renoncé à vivre à la campagne? Ou encore : avait-il renoncé à elle? Tout de même, il ne manquait pas d'air. Pour commencer, il s'était invité chez elle sans crier gare, sous le fallacieux prétexte de faire une visite de bon voisinage, alors que ses intentions étaient loin d'être honnêtes. Et pour finir, il avait abusé de sa confiance avant de s'évanouir dans la nature!

Elle aurait pourtant tort d'être déçue, se dit-elle pour se raisonner : Luke Wilder était exactement tel qu'elle se l'était imaginé.

– Est-ce une discussion privée ou on peut entrer?

Le persiflage habituel d'Audrey tira brutalement la jeune femme de ses sombres pensées. Angie réalisa qu'elle s'était remise à penser à haute voix.

Il était encore tôt, ce samedi matin-là, et Angie était en train de travailler une énorme boule de pâte à pain. Depuis fort longtemps, elle avait appris que cette tâche permettait de se calmer les nerfs à peu de frais.

– Hmmm...?

Le bras plongé dans la pâte jusqu'au coude, Angie leva les yeux sur son amie. Audrey ôta ses gants et son chapeau, et secoua la tête pour libérer ses cheveux.

– Tu recommences à parler toute seule.

– Je ne parlais pas toute seule. Je parlais à la pâte à pain. C'est un vieux truc de ma grand-mère. Elle me disait que ça aidait la pâte à lever.

– Ta pauvre grand-mère doit se retourner dans sa tombe en entendant de telles insanités, mais je ne dirai rien pour çette fois... parce que nous sommes bonnes amies.

– Je t'assure que ça la rend plus légère, insista Angie.

– Et de quoi avez-vous discuté, toi et la pâte? Des fours à micro-ondes? De la dernière levure à la mode?

– Oh rien, de toute façon, elle est ratée... Regarde, on dirait du caoutchouc.

Elle recula et inspira profondément. D'ordinaire, elle réussissait très bien ses pâtes, mais il fallait bien admettre que ce n'était pas le cas aujourd'hui.

– Ne t'inquiète pas, on en fera bien quelque chose... Ma voiture a besoin de pneus neige.

– Tu n'as pas de travail à faire? répliqua la jeune femme d'un ton mielleux.

Audrey sourit, en nouant un tablier autour de sa taille.

– Tu ne me demandes pas pourquoi je suis en retard?

– Bon, d'accord... Pourquoi es-tu en retard?

– J'ai dû aider Brian à l'écurie, ce matin. Il vient de recevoir trois pur-sang à élever. Ils sont si beaux, Angie. Attends un peu de les voir...

– Vraiment? C'est une bonne nouvelle.

Les affaires du mari d'Audrey semblaient être prospères. Angie n'avait jamais rencontré personne qui eût une telle connaissance, une telle compréhension instinctive des animaux.

– Qui est le propriétaire? s'enquit-elle en s'en retournant à sa pâte.

– Oh, je pensais que tu étais au courant... C'est Luke Wilder.

– Ah bon? Pourquoi le saurais-je?

Audrey haussa les épaules.

– Quand tu m'as dit qu'il était passé chez toi l'autre soir, je me suis dit qu'il t'en avait parlé. Il a dû aller les chercher en Pennsylvanie. Ça lui a pris quelques jours.

– Non, il ne m'a jamais dit qu'il avait l'intention d'élever des chevaux.

– De quoi avez-vous parlé?

Le sourire énigmatique d'Angie avait piqué au vif la curiosité de son amie.

– Oh, de choses et d'autres... Rien d'important. Est-ce que ça t'ennuierait de finir cette pâte, Audrey? Dis-lui quelques-unes de tes bonnes blagues, mais rien de vulgaire, s'il te plaît. Ça la ferait tourner.

La sonnette de la porte d'entrée tinta, et Angie courut répondre. Ainsi donc, Luke n'était pas reparti pour la ville, songea-t-elle en servant le premier client de la journée. Bien au contraire, il semblait que ce citadin endurci fût fermement décidé à s'installer durablement dans la région. Cette pensée ne fit qu'accroître la perplexité de la jeune femme.

Jusqu'alors, elle avait été convaincue que Luke ne viendrait pas au gala de la Société historique. Elle pensait maintenant qu'il viendrait peut-être, ne serait-ce que pour se familiariser avec la bourgeoisie locale. Et puis, il ne semblait pas être homme à cracher sur les mondanités. La jeune femme était à la fois impatiente et effrayée à l'idée de le revoir.

– Oooh, Angie! Quelle robe superbe! s'exclama, Spencer, en contemplant la jeune femme comme s'il la voyait pour la première fois. Elle est, elle est... Vous êtes resplendissante!

– Merci, Spencer. Vous voulez entrer? Je suis presque prête. J'en ai pour une minute.

– Oh, bien sûr, suis-je bête, répondit-il en franchissant le seuil de la porte.

Angie ramassa sur le lit sa cape de velours noir, ses longs gants de satin, et son sac à main. Elle jeta un dernier coup d'œil dans le miroir du couloir pour s'assurer que sa toilette était sans défaut. Elle portait un bustier de velours noir, et une longue jupe de velours vert émeraude évasée en bas. La manne de ses cheveux roux était ramenée sur sa tête en un chignon fantaisiste retenu par des peignes anciens. Elle avait déniché cet ensemble dans une boutique d'Hudson, et l'avait trouvé parfait pour l'occasion. Peut-être le décolleté était-il un peu excessif, mais cela la changeait des blue-jeans et des vieux chandails couverts de farine.

Spencer, lui, était parfait dans son smoking tout neuf. Sa barbe était soigneusement taillée, et il avait orné sa boutonnière d'une jolie fleur.

– Je suis prête.

– Mais Chatham Falls est-elle prête pour Angie

Parrish? s'enquit galamment le vétérinaire en s'écartant pour la laisser passer. Telle est la question.

Ardsley Hall était un édifice impressionnant, c'était un fait, mais ce soir, l'énorme manoir gothique en pierre de taille était tout simplement saisissant de splendeur, songea la jeune femme.

Spencer et Angie émergèrent de l'obscurité du parc pour se retrouver plongés dans une féérie de centaines de chandelles. Le vaste hall et la salle de bal étaient emplis de ravissants bouquets de fleurs. La jeune femme ne pouvait poser les yeux nulle part sans être aveuglée par un scintillement d'argent et de cristal.

On servit du champagne et des amuse-gueule, tandis qu'un quatuor installé sur une mezzanine jouait un concerto de Vivaldi. La soirée ne faisait que commencer, mais les convives semblaient déjà d'humeur joyeuse, comme pris par la magie d'un aussi élégant décor.

Les membres de la Société historique méritaient d'être félicités, songea la jeune femme. Oui, même Amelia Thurston. Ils avaient travaillé dur pour offrir à Chatham Falls une soirée de rêve, où le monde moderne, toujours plus rapide et cruel, semblait banni pour faire place aux mystères du passé. Angie était ravie.

Spencer lui tendit une flûte de champagne et trinqua avec elle.

– A la plus belle femme de la soirée, fit-il d'une voix douce.

Angie sourit et but une gorgée. Le vin délicieux pétillait sur sa langue. Elle se sentait légère et joyeuse, comme si elle avait eu le pressentiment d'un événement heureux sans qu'elle sût quoi exactement.

Dans la foule, elle aperçut soudain Luke, ses cheveux d'or, son smoking impeccable couvrant ses larges épaules. A l'instant où ses yeux se posèrent sur lui, il regarda droit dans sa direction, comme si elle l'avait silencieusement appelé de ses pensées.

Ils s'observèrent tous deux sans sourire. Angie était tétanisée par l'intensité de son regard d'azur.

Soudain, il détourna les yeux pour répondre à Eve Taylor qui était en train de le présenter à quelqu'un. Angie baissa la tête. Spencer faisait des signes à Audrey et Brian qui venaient d'arriver. Il n'avait même pas remarqué la brève absence de la jeune femme.

Les deux couples s'embrassèrent chaleureusement. Spencer et Brian s'engagèrent bien vite dans une sérieuse conversation – Brian ne savait pas comment soigner la jambe de sa meilleure pouliche qui s'était blessée à l'entraînement. Pendant ce temps, Angie et Audrey passaient discrètement en revue les invités de la soirée. Elles commentèrent la mode locale, rirent du conseiller municipal chauve et obèse, grimacèrent de dégoût à la vue d'un laideron.

– Quand je pense qu'Eve Taylor porte une minijupe, murmura Audrey. Elle ne manque pas d'air. Regarde ses jambes : de vrais poteaux...

– Je trouve qu'elle a de l'allure, répliqua Angie, sincère.

– Cette façon qu'elle a de se coller à Luke Wilder... C'est horripilant. Elle n'a qu'à s'asseoir sur ses genoux, tant qu'elle y est.

– Ça n'a pas l'air de le déranger. Ne t'en fais pas pour lui.

– Je n'y peux rien, mais cette femme me hérisse. Elle papillonne de ci de là comme si elle venait d'être élue Miss Monde.

Eve menait Luke d'un groupe d'invités à un autre et le présentait aux notables de Chatham Falls avec un air satisfait qui, reconnut Angie, était en effet très agaçant.

Luke semblait s'en accommoder parfaitement. Il était décidément bien le don Juan à la petite semaine qu'elle avait tout d'abord vu en lui. Le type numéro sept, d'après son livre. Et toutes ces belles paroles sur son désir de se stabiliser et de fonder un foyer n'étaient que fariboles.

– Qu'est-ce que vous avez à chuchoter comme des chipies, toutes les deux? s'enquit Brian d'un ton taquin, en venant rejoindre sa femme.

– Oui, ça à l'air fascinant, renchérit Spencer, qui maniait parfois l'ironie avec un peu de lourdeur. S'agit-il de politique, de la situation internationale...?

Les deux femmes s'esclaffèrent de concert, échangèrent un regard complice, et se tinrent coites.

Le cocktail prit fin, et les hôtes furent peu à peu introduits dans la superbe salle de bal où l'on avait dressé de grandes tables pour le dîner. Les serveurs en livrée apparurent, portant de grands plateaux d'argent chargés de mets fins, et un nouvel orchestre se mit à jouer. Amelia Thurston s'arrêta à leur table pour s'assurer qu'ils ne manquaient de rien. Fort heureusement, sa visite fut brève. Quand le dîner fut terminé, Angie et Spencer se promenèrent dans la grande salle, en s'arrêtant ici et là pour saluer telle ou telle connaissance.

Angie avait une étrange impression : dès qu'elle s'approchait assez de Luke pour pouvoir lui dire bonjour, Eve entraînait ce dernier dans une autre direction, ou Spencer décidait de danser, ou d'arrêter de danser. Bien que le vétérinaire eût manifesté toute son admiration et sa sympathie pour le joueur de base-ball quelques jours plus tôt, il ne semblait pas pressé de le revoir.

De son côté, Luke, quand il n'était pas entraîné d'un bout à l'autre de la salle par Eve, était constamment sollicité par des fans de base-ball. Que cela lui plût ou non, il était la vedette de la soirée, et ses nombreux admirateurs n'avaient d'yeux que pour lui.

Secrètement, la jeune femme se sentait passablement offensée de voir que Luke Wilder pouvait l'ignorer aussi facilement. Avait-il vraiment été blessé par sa rebuffade? La fierté masculine était une chose bien mystérieuse et fragile, certes, mais, pour la circonstance, il aurait pu avoir le bon goût de mettre cette même fierté dans sa poche, ne serait-ce qu'une minute, pour venir la saluer.

Elle résolut par conséquent de chasser toute pensée du jeune homme de son esprit pour pouvoir profiter pleinement de ce moment de détente. Las, le jeune homme fit soudain son apparition au côté de Spencer :

– Puis-je vous voler votre partenaire le temps d'une danse, Spencer? Je vous promets de vous la rendre aussitôt après.

– Eh bien, nous nous apprêtions à nous asseoir pour nous reposer un peu, répondit poliment Spencer, mais si Angie est d'accord...

Comme par enchantement, Angie se retrouva dans les bras de Luke, sans que Spencer ait eu le temps de finir.

– Merci, répondit Luke, tandis que le vétérinaire s'éloignait dans la foule.

Le jeune homme souriait. Il regardait Angie comme si elle était la seule femme dans la salle.

– C'est une de mes chansons préférées, confia-t-il après un moment. Je voulais la danser avec vous.

Angie était tellement subjuguée par la présence si intense – et proche – de Luke, qu'elle avait peine à suivre la musique.

Elle tendit l'oreille, essayant en vain d'identifier la mélodie. C'était un vieil air romantique, une chanson qui parlait d'amour et d'étoiles. A nouveau, elle douta : Luke Wilder était-il un véritable sentimental ou un vulgaire simulateur?

Le jeune homme rit doucement en remarquant son air perplexe, et la serra un peu plus contre lui. Elle se détendit à son contact, se moulant contre son corps, acceptant sans réserve son étreinte. Pourquoi diable lui était-il si familier? Elle avait la sensation d'avoir dansé avec lui depuis des années, songea-t-elle tandis que son corps ondulait au gré de la musique.

Les cheveux du jeune homme étaient plaqués en arrière, révélant totalement la beauté rude de ses traits. Comme à l'accoutumée, il sentait délicieusement bon : un peu d'eau de cologne poivrée, un peu de Luke Wilder, les deux subtilement mêlés en une enivrante essence.

– Dites-moi si c'est moi qui mène, prévint Angie. Ça m'arrive de temps en temps, et Spencer déteste ça.

– C'est vous qui menez...

– Oh, je suis désolée.

– Franchement, chère voisine, ça ne me dérange absolument pas. C'est vous qui faites tout le travail, et je n'ai qu'à suivre.

– Je ne vous crois pas. Macho comme vous êtes...

– Détrompez-vous. Depuis quelque temps, je suis à la recherche de quelqu'un qui puisse *mener la danse* de temps à autre. Je trouve ça beaucoup plus intéressant. Pas vous?

– Je crois que cela dépend entièrement du partenaire.

– C'est vrai... Non seulement pour la danse, mais aussi pour le reste.

Angie ne savait que répondre, mais elle dut admettre que c'était la première fois depuis bien longtemps qu'elle rencontrait un interlocuteur à la hauteur de ses piques.

La chanson prit fin, et Angie s'arracha à l'étreinte du jeune homme. Il semblait réticent à la laisser s'en aller, remarqua-t-elle. Cette attitude était surprenante, quand on songeait à la façon dont il l'avait ignorée le reste de la soirée.

– Bien... euh... Merci pour cette danse, Luke.

– Tout le plaisir est pour moi, répondit galamment le jeune homme, qui lui tenait toujours la main. Il faudra remettre ça, Angie.

– Pourquoi pas? C'est un bal annuel, alors, peut-être l'année prochaine...

En regagnant sa table, il lui fallut un moment pour réaliser que Luke se tenait juste derrière elle. Il considérait sans doute de son devoir de la raccompagner, pour montrer qu'il tenait sa promesse de la rendre à Spencer aussitôt la danse finie.

Luke fut accueilli par Audrey et Brian avec des exclamations admiratives. Audrey n'eut pas à faire beaucoup d'efforts pour le convaincre de s'asseoir à leur table pour le café. Angie se demanda un instant ce qu'il était advenu d'Eve, mais si Luke ne s'en souciait pas, pourquoi devait-elle s'en inquiéter?

Luke emprunta une chaise à une table voisine, et vint s'asseoir à côté d'Angie, qui se retrouva de fait encadrée par ses deux chevaliers servants : le champion de base-ball et le vétérinaire.

– C'est intime, non? murmura le jeune homme à son oreille.

Elle se tourna vers lui pour découvrir son sourire moqueur. Son visage touchait presque le sien.

– Charmant. Vous voulez peut-être vous asseoir sur mes genoux...? répliqua-t-elle.

– C'est tentant, mais peu diplomatique, fit-il en passant négligemment un bras derrière le dossier du siège de la jeune femme.

Angie décida de l'ignorer et regarda droit devant elle, comme si de rien n'était. Elle reprit sa conversation avec ses amis, troublée par la proximité physique du jeune homme, par sa cuisse dure collée contre la sienne sous la table, et par la chaleur de son corps contre son épaule et son bras nus.

Elle essaya de s'écarter de lui, mais les chaises étaient si serrées que sa marge de manœuvre était très réduite. Embarrassée, elle s'agita vainement sur son siège, pour bientôt réaliser qu'elle s'était en fin de compte rapprochée de Spencer. Un regard langoureux du vétérinaire lui fit aussitôt comprendre qu'il avait mal interprété ce geste...

– J'aimerais vous ramener à la maison et faire un feu dans la cheminée, susurra-t-il à son oreille.

– Heu, oui, ce serait très agréable, bredouilla la jeune femme avec un sourire contrit.

Elle se rappela les heures passées devant sa cheminée avec Luke, son baiser, son étreinte ardente. Avec Spencer, rien de tel ne s'était jamais produit.

Soudain, le beeper électronique de Spencer retentit. Il le tira de la poche pour l'éteindre.

– Oh, bon sang, il faut que j'aille téléphoner. C'est peut-être important.

Angie le regarda s'éloigner. Elle était en quelque sorte à la merci de Luke, désormais. Elle se retourna pour ramener son étole de velours sur ses épaules, mais les mains de Luke devancèrent les siennes pour couvrir son dos de la soyeuse étoffe.

– Merci, dit-elle.

Pour toute réponse, il lui sourit, et reprit sa conversation avec Brian. Angie se tourna vers Audrey, pour découvrir que cette dernière se délectait de la situation.

La soirée touchait à sa fin, et le chef d'orchestre annonça le dernier morceau. Angie soupira de soulagement. Elle avait hâte de rentrer. A l'autre bout de la salle, elle aperçut Spencer qui s'en revenait. Elle ramassa son sac et ses gants.

– Il y a un problème à la porcherie des Higgins, annonça le vétérinaire d'un ton grave. Emmy Lou, leur plus belle truie, est en train de mettre bas prématurément. Il faut que j'y aille tout de suite. Je suis désolé, Angie.

– Oh, ne vous en faites pas pour moi. Audrey et Brian me ramèneront.

– Il vaut mieux que ce soit moi, proposa Luke. Audrey habite loin de chez vous, tandis que moi, je suis votre voisin. C'est plus logique.

Angie n'avait aucune envie de finir la soirée tassée à l'arrière de la voiture de sport de Luke, avec Eve Taylor à l'avant. Elle jeta un regard suppliant à Audrey, espérant que son amie la tirerait d'affaire.

– Vous feriez ça, Luke? minauda cette dernière, ignorant la supplique muette d'Angie. C'est que nous sommes un peu pressés : nous avons promis à la baby-sitter de rentrer à minuit. Il est déjà moins le quart...

Voyant qu'Angie était en de bonnes mains, Spencer prit congé du petit groupe et s'en fut à la hâte. Puis Audrey et Brian s'éclipsèrent à leur tour, et Angie se retrouva seule avec Luke.

– Je vous retrouve à l'entrée dans cinq minutes? proposa Angie, pour laisser au jeune homme le temps de récupérer Eve.

– Comme vous voudrez. Je vais juste chercher mon manteau.

5

QUELQUES instants plus tard, Angie attendait devant les immenses portes de bois de Ardsley Hall, et Luke ne tarda pas à la rejoindre, ainsi qu'il l'avait annoncé. Il avait noué autour de son cou une écharpe de soie blanche, et portait un manteau de cachemire bleu nuit. Eve Taylor, n'était pas avec lui toutefois.

– Vous êtes prête? s'enquit le jeune homme.

– Oui. Où est Eve?

– Elle avait d'autres projets, répondit-il.

Il passa nonchalamment un bras autour de la taille de la jeune femme et la conduisit à travers la foule jusqu'aux marches du porche, où il tendit son ticket au voiturier.

– Il fait froid dehors. Tenez, prenez mon manteau, fit-il en le posant sur ses épaules.

Il était si grand que la jeune femme eut l'impression de s'abriter sous une tente de cachemire, d'où seule sa tête émergeait.

– D'autres projets? elle n'était pas fâchée contre vous, j'espère?

– Fâchée? Pourquoi serait-elle fâchée?

Angie haussa les épaules.
– Vous ne vous êtes pas beaucoup occupé d'elle.
Luke s'esclaffa.
– Ne vous en faites pas. Franchement, je crois qu'elle était plutôt contente d'être débarrassée de moi. Elle a jeté son dévolu sur un promoteur qui voudrait construire un petit centre commercial dans la région. Avec moi, elle n'avait pas les mains libres...
Il n'avait l'air nullement contrarié, remarqua la jeune femme, non sans satisfaction.
– Tout de même, poursuivit-il, ironique, je ne comprends pas qu'une femme puisse avoir plus d'intérêt pour un centre commercial que pour moi. Tss... tss...
– C'est peut-être que vous avez perdu la main, vous, le Taureau...
– Est-ce un défi?
La voiture arriva devant la porte, et il lui ouvrit la portière pour qu'elle prenne place à l'intérieur.
– Ne rêvez pas, Wilder.
Il n'y avait que quelques kilomètres à parcourir, mais Angie savait d'instinct que la route serait longue. Avec Luke Wilder, le temps devenait étrangement élastique.

Luke se gara devant la maison de la jeune femme et éteignit le moteur.
– Bonsoir, Luke, et merci de m'avoir raccompagnée, fit Angie, en ouvrant sa portière.
– Je vous raccompagne jusqu'à la porte.

– Ce n'est pas la peine...

Sans l'écouter, le jeune homme mit pied à terre et fit le tour de la voiture pour l'aider à en sortir. Elle ignora la main qu'il lui tendait et marcha d'un pas rapide vers la porte d'entrée. Elle introduisit la clef dans la serrure et ouvrit. Jezebel était juste derrière la porte, et se mit à gémir en reconnaissant sa maîtresse.

– Eh bien, alors bonne nuit, Luke. Oh, j'oubliais... Voici votre manteau.

Jezebel, en humant l'air de la nuit, semblait avoir reconnu une odeur. Avec un aboiement joyeux, elle s'élança hors de la maison, et disparut dans la nuit.

– Oh, flûte! maugréa la jeune femme. Elle a dû flairer une bête. Je n'ai plus qu'à prendre sa laisse et à courir pour la rattraper.

– Dans cette tenue? s'esclaffa Luke en passant son manteau. Vous plaisantez? Rentrez vous mettre au chaud. Je vais la chercher.

– Mais...

Il la poussa doucement à l'intérieur.

– Allez, rentrez. Vous êtes déjà bleue de froid. Je reviens dans un instant avec Jezebel.

Il referma la porte sans lui laisser le temps de protester. Angie jeta ses affaires sur une chaise et se rendit à la cuisine. Elle mit de l'eau à chauffer dans la bouilloire et commença à faire les cent pas.

Le thé infusait depuis déjà longtemps, et Angie était en train de se servir une deuxième tasse quand Luke frappa enfin à la porte de derrière. Elle courut lui ouvrir.

Luke et Jezebel semblaient aussi excités que s'ils venaient de vivre une grande aventure. La chienne s'engouffra la première dans la maison. C'était à se demander qui avait ramené qui. Haletante, elle se précipita vers son bol d'eau. Le jeune homme la suivait, à un rythme un peu plus lent. Il se laissa choir sur une chaise, sans prendre la peine d'ôter son manteau.

– Voilà un chien qui sait courir, bon sang! Vous êtes sûre qu'elle n'a pas été entraînée pour la course?

– C'est possible...

La jeune femme sourit. Des feuilles mortes et des brindilles s'étaient accrochées au manteau de Luke et dans ses cheveux en bataille. Il avait déboutonné le col de sa chemise et défait son nœud papillon.

– Voulez-vous boire quelque chose? Une tasse de thé, peut-être.

– Un peu d'eau fraîche me ferait le plus grand bien, répondit-il en contemplant avec envie Jezebel lapper à grands coups de langue.

– J'ai essayé de lui enseigner les bonnes manières, s'excusa la jeune femme, mais c'est sans espoir. Elle n'en fait qu'à sa tête. J'ai l'impression qu'il est aussi important pour elle de faire du bruit en buvant que de boire.

– Merci, fit Luke en prenant le verre qu'elle lui tendait.

Il but l'eau d'un trait, tandis qu'Angie l'observait. Elle remarqua soudain une égratignure sur sa joue.

– Vous vous êtes coupé. Ça vous fait mal?
– Non, ce n'est rien.
Il toucha délicatement sa joue, du bout des doigts.
– Mais, vous saignez.
Elle lui prit le menton et tourna son visage vers la lumière. La coupure était plus profonde qu'il n'y paraissait de prime abord. Elle passa une serviette en papier sous le robinet et l'appliqua sur la blessure.
– Aïe! s'exclama le jeune homme en écartant vivement la tête. Vous me faites mal.
– Allons, allons, ne faites pas l'enfant gronda-t-elle d'un ton maternel, en riant. Je croyais que les athlètes étaient censés être rudes, sans peur et sans reproche.
– Les joueurs de football, oui. Au base-ball, nous sommes beaucoup plus fragiles, sensibles, et intellectuels.
– J'ai bien peur qu'il faille désinfecter cette blessure. Vous n'allez pas vous évanouir au moins?
Elle ouvrit l'armoire à pharmacie, et en tira un baume désinfectant.
– J'essaierai de tenir le coup... Qu'est-ce que c'est que ça?
– Un antiseptique. Vous ne voulez pas que votre blessure s'infecte?
Elle prit son menton dans une main et appliqua de l'autre la pommade.
– Ça pique.
– Oh, taisez-vous. Tenez-vous tranquille ou je vais en mettre partout.

Il soupira et se tint tranquille, sans bouger, en la fixant du regard, d'une façon tout à fait déconcertante.

– Vous avez des mains de fée, Dame Tarte. Douces, mais assurées. C'est en maniant la pâte à tarte que vous avez acquis une telle dextérité?

– Hmmm...

Angie fit mine de l'ignorer afin d'en finir au plus vite.

– Voilà, c'est fini, annonça-t-elle enfin en revissant le bouchon du tube.

– Dieu merci, soupira le jeune homme. Je n'ai pas droit à un câlin pour me consoler? susurra-t-il en enserrant la taille de la jeune femme.

Il l'attira sur ses genoux et l'embrassa avec fougue. Perdant l'équilibre, elle s'agrippa à lui, les bras passés autour de ses larges épaules, les seins pressés sur son torse dur. Il l'embrassa à en perdre le souffle.

Angie était électrisée.

Elle rejeta la tête en arrière, offrant sa gorge aux caresses de Luke. Elle savait que sa volonté s'amenuisait peu à peu, et qu'elle devait réagir avant qu'il ne soit trop tard.

– Luke..., parvint-elle enfin à articuler. S'il vous plaît, lâchez-moi.

– Non, murmura-t-il au creux de son cou. Jamais!

Il couvrit sa bouche de la sienne, malgré la protestation de la jeune femme. Angie répondit à l'ensorcelante titillation de sa langue avec une ardeur renouvelée.

– Luke..., soupira-t-elle. Je n'ai pas accepté que vous restiez ici pour que vous me séduisiez dans ma propre cuisine.

– Pourquoi pas? s'enquit-il en l'embrassant sur le bout du nez. La cuisine est toujours la pièce la plus sensuelle d'une maison. La chambre mise à part, bien sûr.

Il l'embrassa encore, décrivant un cercle sur l'étoffe légère de son corsage. Le buste de la jeune femme s'affermit aussitôt.

Elle soupira de plaisir. Elle avait chaud, tellement chaud, comme si de la lave en fusion avait coulé dans ses veines.

– Luke, vous m'avez entendue?

– Oui, comme vous voudrez.

Il se releva alors en la soulevant dans ses bras. La jeune femme comprit trop tard ce qu'il était en train de faire.

– Luke! Mais, vous avez perdu la tête! Lâchez-moi! Qu'est-ce que vous faites?

– A votre avis? Vous m'avez dit que vous ne vouliez pas être séduite dans votre cuisine, alors je vous emmène dans le salon. Je vous séduirai là-bas.

Luke la laissa choir dans le canapé comme un vulgaire colis.

– Très élégant, commenta la jeune femme, en se redressant sur son séant. Vous pensez peut-être que vous me séduirez encore plus en vous frappant la poitrine et en poussant le cri de Tarzan?

– Si vous avez envie de ça, pas de problème. Il s'assit à côté d'elle et l'enlaça à nouveau. Comme vous pouvez le constater, je suis prêt à tout pour vous conquérir.

Il se pencha sur elle pour l'embrasser. La jeune femme tenta d'abord de le repousser, mais abandonna bien vite toute idée de résistance, enivrée par le contact magique de sa langue contre la sienne.

Un instant plus tard, elle se sentit tomber à la renverse, sur le dos, et plonger dans les coussins moelleux du canapé. Le long corps de Luke vint la recouvrir entièrement.

– Comme c'est bon d'être si près de vous. J'ai attendu cet instant toute la soirée. Je voulais vous enlever de la piste de danse et vous faire l'amour n'importe où, même dans un placard à balais.

– Et vous pensiez que la table de la cuisine ferait l'affaire, murmura-t-elle en retour, entre deux baisers.

Elle l'entendit rire doucement comme il embrassait ses yeux clos. Puis, ce fut le silence, tandis que sa bouche explorait son épaule, et que sa main taquinait la pointe de son sein affermi par le désir. Cette exquise caresse coupa le souffle de la jeune femme. Elle soupira de plaisir, en se mettant instinctivement à se mouvoir sous lui. Leurs jambes se croisaient, et la jeune femme pouvait sentir la brûlante évidence de la passion qu'il lui vouait se presser avidement contre ses reins.

Elle lui ôta sa veste, et déboutonna sa chemise, pour glisser ses mains sur la peau bronzée de son torse. Le jeu de ses muscles tendus sous ses doigts précipita l'élan passionné de sa quête sensuelle. Il était si fort, si sauvage!

La nature première de la jeune femme se réveillait brutalement, lui dictant sa voie.

D'une main habile, Luke avait dégrafé le bustier de la jeune femme pour mieux explorer les vallonnements de sa gorge. Angie arqua son corps en offrande à ses caresses. Elle enfouit ses mains dans ses cheveux et tint son visage plaqué contre son sein alors que des irradiations de plaisir la traversaient de part en part.

– Vous êtes si belle, soupira-t-il, en collant sa joue brûlante contre sa peau nue. Angie pensait vivre un rêve. Elle aurait voulu que cela dure pour l'éternité.

– J'ai pensé sans arrêt à vous quand j'étais à New York, la semaine dernière. Pas une minute ne s'est écoulée où vous n'étiez présente à mon esprit.

– Allons, fit-elle d'une voix douce. Je suis sûre que vous avez réussi à m'oublier assez pour vous occuper de vos affaires.

– La prochaine fois que je vais à New York, je vous emmène avec moi. J'imagine déjà les commentaires des journaux : « Qui était cette ravissante rousse qui accompagnait Luke Wilder, hier soir, à la soirée de *Nell's*? Est-il vrai qu'ils sont venus en ville pour se fiancer? »

– Très drôle.

– Vraiment?

La jeune femme ramena son bustier sur elle pour cacher sa nudité. Luke était un peu présomptueux, songea-t-elle, et elle ne trouvait rien de mieux que de s'offrir à lui sur un plateau.

Elle ne devait pas oublier qu'il n'était en quête que d'une liaison de passage. Et les journaux à scandale! Comme elle les détestait. Elle se passerait volontiers de leurs commentaires insidieux. Avec Luke, malheureusement, elle ne pourrait y échapper. Il était trop célèbre, il appartenait au public. En outre, la rumeur voulait qu'il ait eu une vie amoureuse tumultueuse. Elle ne tenait pas à devenir un numéro anonyme sur la longue liste de ses conquêtes.

– Angie?

Luke était tellement surpris du brusque changement d'humeur de la jeune femme, qu'il ne fit pas mine de l'empêcher de se relever.

– Que se passe-t-il? Qu'est-ce que j'ai dit?

– Rien, rien d'important, répondit-elle d'un ton sec, en remontant la fermeture à glissière de son bustier. Je crois qu'il est temps que vous partiez, c'est tout.

– Je ne partirai pas avant d'avoir une réponse claire et intelligible, insista-t-il d'un ton calme. Maintenant, dites-moi ce que j'ai dit qui vous a déplu. Il y a cinq minutes, vous ronronniez dans mes bras comme un chat, et l'instant d'après...

– Je vous ai demandé de partir, conclut-elle pour lui. Ce que je fais de nouveau. Partez, s'il vous plaît.

Elle alla à la cuisine chercher son manteau, puis revint et le lui tendit.

Il l'ignora. Il se tenait debout devant elle, en chaussettes, l'échancrure de sa chemise ouverte dévoilant son torse puissant couvert d'une toison bouclée. Ses cheveux en bataille le rendaient encore plus séduisant, comme une espèce de faune nocturne surgi de nulle part pour hanter ses nuits. Elle décida de ne plus le regarder, pour ne pas céder à nouveau à la tentation.

– Je sais ce que c'était, dit-il soudain. Vous n'avez pas besoin de me le dire. Bon sang, comment ai-je pu être aussi stupide! Quel idiot je fais, parfois?

– Nous voilà enfin d'accord sur un point, marmonna la jeune femme. – Puis, voyant son air blessé : – Oh, je suis désolée... Je retire ce que j'ai dit. Vous n'êtes pas un idiot. Jamais. C'est simplement que je ne crois pas que ça pourra marcher entre nous.

– Tout marchait comme sur des roulettes jusqu'à ce que j'ouvre ma grande gueule et que je vous rappelle des choses que vous essayez d'oublier. C'est ça qui s'est passé, n'est-ce pas?

Angie acquiesca.

Elle sentit son menton trembler un peu, et son cœur se serrer dans sa poitrine comme si elle allait se mettre à pleurer. Que lui arrivait-il? Depuis que cet être diabolique avait fait irruption dans sa vie, elle était soit au comble de l'euphorie, soit au bord des larmes.

– Il n'y a pas que ça. Il y a d'autres choses, répondit-elle après un silence. Je reconnais que nous avons certains atomes crochus...

– Des atomes crochus? Le mot est faible, mais continuez, je vous écoute.

– Oh, peu importe... Pardonnez-moi si je

m'exprime mal, mais... comment dire...? C'est simplement que ce genre de choses ne m'arrive pas souvent, et que j'ai l'impression qu'il en va tout autrement pour vous?

– Ce qui veut dire...?

– Ce qui veut dire que vous êtes le genre d'homme qui peut tomber amoureux trois fois par jour, mais que moi, je suis différente. – Elle inspira profondément. – Écoutez, j'ai déjà essayé, autrefois. Et, croyez-moi, ça n'a pas du tout marché. Je n'ai aucune raison de penser que ça pourrait coller aujourd'hui. Est-ce que vous pouvez accepter ça? Nous pourrions peut-être être amis...

– Je ne suis pas comme votre ex-mari. Je sais que vous êtes convaincue qui si, mais c'est faux. Et votre amitié ne m'intéresse pas, Angie. Je veux plus. Vous comprenez ce que je veux dire?

– Oui.

– Écoutez, reprit-il d'un ton plus calme. Je sais que j'ai la réputation d'aimer les femmes. Je ne le nie pas. Mais vous savez très bien, Angie, qu'il ne faut pas croire tout ce qu'on lit dans les journaux. Si j'étais le don Juan que la presse voit en moi, je serai déjà sur un lit d'hôpital ou six pieds sous terre.

– C'est vrai, les médias exagèrent, mais ils n'ont pas tout inventé. Il doit bien y avoir un peu de vrai dans ce qu'on raconte.

– Un tout petit peu. C'est vrai, j'aimais la compagnie des femmes, mais j'ai changé. Ce qui m'intéresse, maintenant, c'est d'être avec une femme en particulier.

– Vous avez changé comme ça? demanda-t-elle en faisant claquer ses doigts. Un coup de foudre, et le léopard se change en rossignol. Mais c'est un vrai conte de fées, dites-moi...?

– C'est comme ça. Exactement comme ça. Vous croyez peut-être que le changement se passe dans la tête? fit-il en lui appuyant un doigt sur le front. Eh bien, vous avez tort. C'est là que ça se passe. – Il se frappa la poitrine. – Dans le cœur, et dans l'âme. Ce n'est pas raisonné. Un jour, vous vous réveillez, et vous comprenez que vous avez besoin d'autre chose, de quelque chose de durable et de fort, de solide. Votre cœur le réclame, et vous n'y pouvez rien. Alors, de vous-même, sans effort, vous laissez tomber les flirts et les aventures sans lendemain, parce que le provisoire n'a plus aucun attrait. C'est exactement comme dans les films ou les romans d'amour. Demandez-le à n'importe qui ayant vécu ça, on vous fera la même réponse.

Angie aurait tant voulu croire tout ce qu'il lui disait, mais les souvenirs amers du passé l'en empêchaient. Elle ne parvenait pas à se débarrasser de ses doutes. Son instinct premier la forçait à se protéger du danger.

– Ainsi, vous pensez avoir tout compris, fit-elle remarquer d'un ton calme, en s'écartant de lui;

– Non, pas tout, je n'ai pas cette prétention, dit-il en s'asseyant pour reboutonner sa chemise. Mais je pense que je vais enfin dans la bonne direction, et je préférerais continuer avec quelqu'un que j'aime. Sinon, quel intérêt y a-t-il à vivre? Pourquoi s'améliorer si l'on doit vivre en vase clos, seul avec soi-même? Moi aussi, j'ai commis mon comptant d'erreurs et j'ai souffert. Moi aussi, j'ai cru avoir le cœur brisé, mais je ne veux pas laisser mes malheurs d'antan m'empêcher de vivre et d'aimer, ici et maintenant.

– Et c'est ce que vous pensez que je suis en train de faire, n'est-ce pas?

– Oui. C'est exactement ce que je pense. Vous préférez vous planquer et vous ennuyer avec votre gentil docteur, plutôt que de vivre.

– Vous n'aviez pas besoin de dire ça. C'était tout à fait inutile. Inutile et méchant.

– Inutile, mais vrai. Et ce qui est encore plus vrai, c'est que le temps de se planquer est fini, Angie. J'arrive, je suis là, et je siffle la fin du jeu. Changement de règles : maintenant, on vit. Et vous m'écoutez, et vous voyez que je n'ai pas entièrement tort. Sinon, vous ne monteriez pas au septième ciel chaque fois que je vous touche. Vous n'avez pas besoin de me l'avouer... C'est à vous-même qu'il faut vous l'avouer.

– Vous savez vraiment tout, hein? Dites-moi, où avez-vous appris tout ça? Comment avez-vous fait pour devenir si fin psychologue? Vous lisiez des manuels de philosophie entre deux matches?

– Certainement pas. J'avais mieux à faire. – Il s'interrompit, et passa la main dans ses cheveux avant de reprendre. – Je suis désolé si je vous ai blessée. J'ai peut-être été un peu trop abrupt, mais je crois que vous savez dans votre cœur que j'ai raison, Angie.

– Et qui donc êtes-vous pour me dire ce qui se passe dans mon cœur? Quand j'aurai besoin de votre avis, je vous le demanderai. Et quand j'aurai besoin d'un bulldozer pour me sauver de moi-même, je vous ferai signe. Mais ne soyez pas trop pressé, Luke.

– J'ai été maladroit, Angie. je ne voulais pas avoir l'air aussi arrogant.

– Vous êtes un homme, c'est normal.

– Eh oui, et je n'y peux rien. C'est congénital.

– Je m'en souviendrai, Luke, soupira-t-elle. Je crois que vous feriez mieux d'y aller. Il est tard.

– Vraiment?

Il se tenait devant elle, et lui caressait lentement les bras. Angie se sentait déjà fondre intérieurement. D'où tenait-il ce pouvoir sur elle?

– Vous voulez vraiment que je m'en aille?

– Je crois que nous avons assez parlé comme ça?

– Je le crois aussi...

Son visage se rapprochait dangereusement de celui de la jeune femme. Dans un instant, il allait l'embrasser, mais soudain, le téléphone se mit à sonner. Angie s'arracha à l'étreinte du jeune homme pour aller répondre, mais il la retint.

– Laissez sonner. Ils rappelleront.

– Il faut que j'y aille, insista-t-elle.

Elle décrocha.

– Allô?

Elle savait qu'elle était essouffllée, et espéra que son interlocuteur la croirait endormie.

– Angie? Je vous ai réveillée? J'appelais juste pour savoir si vous étiez bien rentrée.

– Oh bonsoir, Spencer... Oui, oui, bien sûr.

– Le gentil docteur, bien sûr! Qui d'autre, sinon lui! grommela Luke d'une voix forte, en faisant les cent pas dans la cuisine.

Angie couvrit son oreille d'une main pour pouvoir entendre Spencer, en remerciant le ciel qu'il ne lui ait pas demandé si elle n'était pas seule. Le vétérinaire était déjà en train de lui raconter par le menu l'accouchement des porcelets, avec force détails médicaux dont elle se serait volontiers dispensée.

– La mère et les enfants vont bien, conclut Spencer. Je suis assez épuisé, moi-même. Voulez-vous que je m'arrête chez vous en rentrant? C'est sur mon chemin.

– Euh, non, je ne préfère pas, répondit-elle d'un ton un peu alarmé. Je vous appellerai demain, pas trop tôt pour que vous puissiez dormir un peu le matin.

– Pauvre gentil docteur, marmonna Luke, il doit faire un gros dodo pour être beau demain...

Angie lui lança une œillade furibonde qu'il ignora superbement.

– Angie? Vous n'êtes pas seule?

– Euh... non. Ce n'est que Luke Wilder.

– *Que* Luke Wilder! répéta Luke, offusqué. Que ça ne vous empêche pas de dormir, gentil docteur.

– Ah bon, répondit Spencer, qui, fort heureusement, ne pouvait pas entendre ce que disait Luke. Nous montons toujours à cheval demain, n'est-ce pas?

– Oui, bien sûr. Je n'ai pas oublié.

Presque tous les dimanches, quand le temps le permettait, Spencer et Angie faisaient une promenade à cheval.

D'ordinaire, Angie attendait cet instant avec impatience. Pourtant, cette fois, elle accueillait cette perspective avec un enthousiasme modéré.

– Très bien. Dormez bien, Angie. Et, euh... Ne laissez pas votre compagnie vous tenir éveillée jusqu'à des heures indues...

– Rassurez-vous, je tombe de sommeil...

– Ce qui ne serait pas le cas si nous n'avions pas été interrompus par cet importun..., coupa Luke.

Angie souhaita une bonne nuit à Spencer et raccrocha.

– Pourriez-vous me faire le plaisir de cesser cette ridicule comédie, Luke? Vous vous comportez comme un enfant gâté de dix ans d'âge mental! Dix ans, que dis-je? Cinq ans, et encore, je suis bonne! Un enfant de trois ans serait plus poli que vous.

– Ça y est, vous avez fini? Vous êtes calmée? Dans une minute, vous allez me faire fuir.

– Exactement. Partez, monsieur Wilder. Je vous ai assez vu comme ça.

Elle ramassa le manteau du jeune homme sur la chaise et le lui jeta littéralement à la figure. Puis, elle marcha d'un pas décidé vers le salon, où elle ramassa sa veste et son nœud papillon.

– Voilà. Je crois que c'était tout ce qu'il y avait. La sortie est là.

Elle ouvrit la porte en grand et s'écarta pour le laisser passer.

– Ça ne vous ennuie pas si je me rhabille ici? demanda-t-il, d'un ton aussi incrédule que furieux.

– Il y a une chaise sur la véranda. Faites comme chez vous.

Il la dévisagea un instant, stupéfait. Puis, serrant ses vêtements contre lui, il sortit dans la nuit glaciale.

– Merci de votre hospitalité, grommela-t-il. Il faudra qu'on remette ça... Mais pas avant le printemps, cela dit. Je n'ai pas l'habitude de me promener nu la nuit en hiver.

– Bonne nuit, Luke, conclut-elle, imperturbable.

Elle referma la porte derrière lui.

Elle était épuisée, et s'adossa un instant au mur, les yeux fermés. Luke avait raison : son seul combat, elle le menait contre elle-même.

6

LE lendemain, Maggie se réveilla très tard. Elle s'était retournée dans son lit toute la nuit, et remerciait le ciel de ne pas devoir aller travailler ce matin-là. Pendant la semaine, elle avait finalement engagé une employée, une étudiante qui s'appelait Jane, et qui désormais tiendrait la boutique le dimanche. Quel luxe, songea-t-elle, que de pouvoir faire la grasse matinée avant de prendre tranquillement son café en lisant le journal dominical dans sa cuisine baignée de soleil.

Quand le téléphone sonna, elle se dit que ce devait être Spencer. Audrey avait déjà appelé pour exiger un compte rendu détaillé de la fin de sa soirée. Angie décrocha, pour aussitôt entendre Luke lui dire bonjour à l'autre bout de la ligne.

– Luke, quelle coïncidence. Je pensais justement à vous en lisant le journal.

– La rubrique sportive?

– Non, le courrier du cœur.

– Ne vous en faites pas, je n'ai rien à ajouter à notre conversation d'hier soir. Je vous appelais parce que je viens de me rendre compte que j'ai dû égarer quelques vêtements en chemin... Ne seriez-vous pas par hasard tombée sur une chaussure italienne en cuir noir, faite sur mesure? Sur la pelouse? Également, une paire de boutons de manchettes, et un dollar cinquante en petite monnaie? Sous les coussins du canapé peut-être...?

Cette énumération était une façon de rappeler à Angie ce qui s'était passé la veille.

– Heu, oui... J'ai trouvé la chaussure ce matin. Ou, plutôt, Jezebel l'a trouvée.

La chienne d'Angie avait rapporté la chaussure après sa promenade du matin et l'avait déposée aux pieds de sa maîtresse avec une totale dévotion canine qui avait fait fondre le cœur de la jeune femme.

– C'est vrai, j'oubliais que Jezebel était un chien de chasse. Vous pourriez peut-être la mettre sur la piste de mes boutons de manchettes.

– Je devrais les retrouver facilement. Et un dollar cinquante, m'avez-vous dit?

– Oui, plus ou moins. Je passerai un peu plus tard récupérer tout ça.

Angie enroula nerveusement le cordon du téléphone autour de son poignet, cherchant un prétexte pour refuser ou une alternative. Elle ne voulait pas se retrouver de nouveau seule avec lui.

– Je vais sortir dans une petit moment. Je vais monter à cheval avec Spencer. Je m'arrêterai pour déposer vos affaires en chemin.

– D'accord. Je vais faire un peu de bricolage dans la maison, aujourd'hui. La porte sera ouverte. Si vous ne me voyez pas, entrez.

– Très bien, répondit-elle en espérant pouvoir tout laisser sur le pas de sa porte sans avoir à lui parler.

Angie rangea la cuisine, puis appela Spencer pour lui fixer rendez-vous. Il ne lui fallut pas longtemps pour trouver les affaires de Luke, qui étaient, ainsi qu'il l'avait prédit, coincées sous un coussin du canapé. En revanche, elle ne trouva qu'un dollar et vingt cents, auxquels, de façon un peu ridicule, elle se sentit obligée d'ajouter vingt cents. Elle mit le tout dans un sac en papier et s'habilla pour sortir.

Elle passa un vieux blue jean délavé, un épais chandail de marin, et enfila une paire de botte de cheval en cuir noir.

Quand elle se gara dans l'allée de la maison de Luke, elle comprit tout de suite qu'elle ne parviendrait pas à déposer ses affaires en catimini pour filer à l'anglaise. Il était en train de décaper péniblement la porte avec un chalumeau qu'il semblait manier à grand-peine, et une raclette.

Il déposa ses outils et observa sa visiteuse gravir le chemin qui menait jusqu'aux marches de la villa. Il portait un vieux sweat shirt frappé de l'emblème d'une célèbre équipe de base-ball, les Cincinnati Cardinals, et un vieux blue jean couvert de taches de peinture, qui collait à ses jambes musclées comme une seconde peau. Malheureusement, songea Angie, il était aussi séduisant dans cette tenue que la veille, vêtu de son smoking.

– Je crois que que j'ai tout trouvé, annonça-t-elle en lui tendant le sac en papier.

– Merci, fit-il en l'ouvrant. – Il en retira la chaussure, et la porta à hauteur de ses yeux pour l'inspecter. – Incroyable, pas la plus petite trace de crocs. Je craignais que votre setter ne laisse la marque de ses canines sur le cuir délicat de cette superbe chaussure...

Ignorant son sarcasme, la jeune femme contempla la porte et ramassa un éclat de peinture avec son ongle. Luke avait fait un véritable saccage. Il avait raclé si fort qu'il risquait de ne plus rien rester de la porte quand il aurait fini.

– Jezebel est un chien de chasse, ne l'oubliez pas, répondit-elle en poursuivant son inspection, elle a été entraînée à rapporter des oiseaux sans les mordre. Elle sait s'y prendre avec délicatesse.

– Comme sa maîtresse.

– Luke..., prévint-elle d'un ton menaçant.

– J'allais en dire plus, conclut-il, quand je me suis rappelé que je me suis promis hier soir de ne plus vous provoquer, Dame Tarte. Je propose une trêve illimitée. Qu'en dites-vous?

Angie haussa les épaules.

– D'accord... merci.

Luke ramassa son chalumeau, visiblement impatient de reprendre son travail.

– Bon, je vous remercie d'être venue déposer mes affaires. J'espère que je vous ai pas mise en retard à votre rendez-vous avec... euh... Spencer?

– Non. Je ne suis pas en retard, répondit-elle en l'observant chercher un outil. Si c'est la raclette que vous cherchez, elle est dans la poche de votre pantalon.

– Ah oui, la voilà. Faites une bonne promenade.

Il ralluma la flamme du chalumeau et reprit son ouvrage, comme si Angie avait soudain disparu. Il commença même à siffloter gaiement. L'odeur âcre de la peinture et du bois brûlés emplit aussitôt l'air.

– Merci! cria-t-elle pour couvrir le bruit du chalumeau.

Il n'entendit pas sa réponse ou fit mine de ne pas l'avoir entendue. Au comble de l'exaspération, Angie descendit vers le porche. Elle était à mi-chemin de sa voiture quand elle fit tout à coup volte-face pour revenir se planter devant l'escabeau du jeune homme. Comme il ignorait toujours sa présence, elle lui tapa brutalement sur l'épaule.

– Hmmm? fit-il en se retournant lentement. Vous avez oublié quelque chose?

– Je pensais que ça pourrait vous rendre service d'apprendre que vous êtes en train de massacrer cette porte.

– Que voulez-vous dire? Je décape... Ça marche très bien, avec cet engin.

Il se remit aussitôt à la tâche. S'il y avait bien une chose qu'Angie ne pouvait supporter, c'était de regarder sans broncher quelqu'un qui se trompait.

– Donnez-moi ça une minute, ordonna-t-elle, en lui arrachant littéralement le chalumeau des mains. Regardez – et elle désigna l'endroit auquel il s'était attaqué –, il faut bouger constamment votre chalumeau, sinon, vous attaquez le bois, et il s'écorche quand vous grattez avec la raclette. Vous voyez?

– Ah oui... Voyons voir, fit-il se penchant pour examiner de plus près la tache de peinture cloquée que lui indiquait la jeune femme. Est-ce si mal que ça?

– Si vous avez l'intention de revernir cette porte, vous allez avoir un sacré boulot pour la poncer. Normalement, la raclette suffit, mais seulement si vous utilisez correctement votre chalumeau, sans tout brûler. – Elle désigna d'autres points de la porte sur lesquels il s'était acharné sans pitié. – Et n'appuyez pas trop quand vous grattez : cela donne ces horribles rayures.

– Je crois que je me suis un peu laissé aller à mon enthousiasme quand j'ai vu la peinture s'en aller. Ne me dites pas que je vais devoir tout poncer...?

– J'en ai bien peur. Attendez, je vais vous montrer, fit-elle en lui prenant maintenant sa raclette. Vous passez votre chalumeau en cercles concentriques, et dès que la peinture commence à faire des cloques, vous raclez, doucement, régulièrement, sans insister. Et... et voilà.

– Dites-donc, vous savez y faire, vous! s'exclama-t-il, en admirant le bois nu et lisse laissé par la jeune femme. Je devrais peut-être m'entraîner un peu d'abord sur la porte de derrière.

– Peut-être, répondit Angie, tout sourires, en lui rendant ses outils. Le doigté, ça ne s'acquiert pas en un jour.

– C'est vrai, et parfois une main plus légère fait mieux le travail, renchérit Luke, pensif.

Angie avait le dos à la porte, et Luke se tenait tout près d'elle. Elle savait qu'elle devait s'en aller, mais se trouvait en quelque sorte clouée sur place.

– Bon, je crois que je ferais mieux d'y aller.

– Oui, je ne voudrais pas vous mettre en retard. Merci pour la leçon de bricolage. Oh, ajouta-t-il en tendant la main, je crois que vous avez un peu de peinture dans les cheveux.

Son visage était si près qu'Angie eut la certitude qu'il allait l'embrasser. Elle laissa ses yeux se fermer lentement et sa bouche s'ouvrir pour accueillir la caresse de ses lèvres.

– Voilà, je l'ai enlevée, fit-il d'un ton satisfait, en s'écartant d'elle.

Angie rouvrit aussitôt les yeux, chancelante. Elle pria le ciel qu'il n'ait rien remarqué de son secret espoir. Sans même le regarder, elle descendit les marches du porche et s'éloigna sans se retourner.

– Au revoir.

– A bientôt, Dame Tarte.

Spencer était à l'écurie depuis un moment, quand Angie arriva. Il avait déjà sellé les deux chevaux et semblait plus confus qu'agacé par son retard.

– Vous m'avez attendue longtemps? s'enquit-elle tandis qu'il l'embrassait sur la joue;

– Quelques minutes, répondit-il d'un ton indiquant qu'il voulait une explication.

La jeune femme caressa le museau de la jument mouchetée qu'elle allait monter.

– Je suis désolée. Je faisais des petits travaux ménagers, et je n'ai pas vu l'heure filer.

Ce n'était qu'un demi-mensonge après tout.

Ils prirent leur chemin habituel à travers un champ situé derrière les écuries. C'était une belle journée d'automne. Le soleil de l'après-midi caressait son visage, et l'air charriait une odeur de feuilles sèches, de terre labourée, et de chevaux.

Angie éperonna légèrement sa monture pour lui faire prendre un petit trot. Elle se sentait pleinement intégrée à l'élément naturel, comme si elle en prenait conscience pour la première fois. Elle était heureuse. La vie vibrait en elle et autour d'elle. Le ciel bleu immaculé semblait chargé de promesses secrètes. Le ciel lui rappelait les yeux de Luke.

L'extrémité du champ était close par un muret de pierre à moitié écroulé, et Angie décida de sauter par-dessus, au lieu de le contourner comme à l'accoutumée.

Elle éperonna un peu plus vivement sa jument pour la faire galoper. Derrière le martèlement sourd de son propre cœur, elle pouvait entendre Spencer l'appeler. Un instant plus tard, plaquée contre l'encolure de sa bête, elle s'élança au-dessus du petit mur, pour atterrir sans effort de l'autre côté. Elle entendit un cri, puis un rire de femme, avant de réaliser que c'était sa propre voix.

– Je ne savais pas que vous saviez sauter, Angie.

– Je n'avais pas essayé depuis des années,

avoua-t-elle. A la dernière seconde, j'ai cru que je ne pourrais pas. Je pensais que j'avais oublié. Dieu, j'ai eu bien peur!

– Et comment vous sentez-vous maintenant?

Spencer la regardait d'un air curieux, comme s'il la voyait pour la première fois.

– Très bien. A vrai dire, j'ai même envie de recommencer, répondit-elle avec un grand sourire.

Spencer lui sourit à son tour, mais Angie ne manqua pas de remarquer dans son expression un certain détachement. Elle prit soudain conscience de la distance qui les séparait, et qui allait croissante, lentement, mais régulièrement.

Comme ils tournaient leurs montures pour s'engager dans les bois, elle eut soudain envie de se rapprocher de lui, de lui serrer fort la main pour le rassurer, pour se rassurer et se convaincre que rien n'avait changé entre eux. Son cœur, pourtant, lui disait de n'en rien faire. La vérité était là. Pour le meilleur ou le pire, sa rencontre avec Luke avait rompu le fragile équilibre de sa vie. Le contact jeune homme avait réveillé la passion qui dormait en elle sans s'être jamais tout à fait éteinte. C'était un trait de sa nature que Spencer ne pourrait jamais satisfaire ni comprendre.

En cheminant sur l'étroit sentier de forêt, ils avançaient l'un derrière l'autre, ce qui rendait la conversation difficile. Luke l'aurait défiée de sauter par-dessus toutes les clôtures de la région, songea-t-elle avec un sourire. Elle se demanda s'il se promenait, lui aussi, sur ce sentier. Elle imagina une promenade à cheval en sa compagnie, mais tenta bien vite de se raisonner : ce ne serait plus jamais simple entre eux, après ce qui s'était passé la nuit précédente. En outre, c'était très injuste pour Spencer de rêver à un autre homme en sa présence.

Quand ils furent rentrés à l'écurie, et qu'ils eurent désellé leurs montures, Angie invita Spencer à dîner chez elle, ce que, à sa grande surprise, il refusa poliment, sous prétexte de mettre de l'ordre dans ses papiers.

– Je voudrais avoir tout réglé avant de partir pour le Vermont demain soir. Ensuite, je devrais rester à Albany plus longtemps que je ne pensais. Une semaine, sans doute.

– A Albany? Qu'allez-vous faire à Albany?

– Assister au congrès annuel de l'association des vétérinaires. Vous ne vous souvenez donc pas? Je vous en ai pourtant parlé. Je vais d'abord passer Thanksgiving chez mes parents dans le Vermont, et sur le chemin du retour, je m'arrête à Albany pour le congrès.

– Ah oui, c'est vrai.

C'était la fin de l'après-midi, et déjà, le soleil avait plongé derrière les montagnes bleutées. Angie frissonna, et se frotta les bras pour se réchauffer. Elle éternua.

– A vos souhaits, fit Spencer en lui tendant un mouchoir en papier. Vous n'allez pas nous faire une rechute, Angie?

– Non, ce n'est qu'un éternuement.

Sa gorge la démangeait un peu, mais elle s'était

sentie si bien, au grand air, qu'elle n'y avait pas prêté attention. Avec les fêtes qui approchaient, elle refusait catégoriquement de tomber malade.

– Nous n'aurions peut-être pas dû monter à cheval, aujourd'hui. Je ne voudrais pas que vous retombiez malade.

– Ne vous faites pas de souci, je suis en pleine forme. Et la promenade a été sensationnelle. Nous n'aurons plus beaucoup d'occasions de renouveler ça, avant que la neige arrive.

– En effet, répondit-il, pensif. Bien, je crois que vous devriez rentrer et vous reposer. Vous n'avez pas été vous-même, aujourd'hui, Angie. Je crois vraiment qu'il est préférable que je ne vienne pas dîner ce soir.

– Comme vous voulez, Spencer.

Angie sentit à nouveau grandir la distance qui les séparait. C'était triste, mais inéluctable.

Spencer ouvrit la porte de sa camionnette, et elle s'installa au volant. Il se pencha sur elle et l'embrassa doucement sur la bouche.

– Je m'arrêterai demain à la boutique pour vous dire au revoir. Soignez-moi ce rhume ce soir. Thé et citron bien chauds.

– A vos ordres, docteur.

Elle caressa distraitement la barbe de Spencer. Il était gentil, attentionné, sympathique, et elle l'aimait bien; mais elle n'était pas amoureuse de lui.

– Je prendrai deux aspirines et je vous appellerai demain matin, dit-elle.

Pour toute réponse, Spencer sourit faiblement. Elle éternua de nouveau.

– Tenez, vous aurez besoin de ça en rentrant chez vous, fit-il en lui tendant son paquet de mouchoirs.

Il referma la portière, et Angie démarra. Spencer s'écarta et la salua d'un signe comme elle s'éloignait. Dans le rétroviseur, elle le vit qui regardait la camionnette disparaître dans le crépuscule.

Pendant les jours qui suivirent, chez *Dame Tarte*, Angie, Audrey et la nouvelle employée travaillèrent fébrilement pour satisfaire toutes les commandes spéciales de Thanksgiving. Angie ne vivait plus que pour ses pains, ses tartes, ses gâteaux. Le soir, elle avait ses bras endoloris pour avoir tant travaillé de pâte.

Son éprouvant labeur lui laissait peu de temps pour penser à Luke, et se demander pourquoi il avait cessé de venir à la boutique. Craignait-il de voir interpréter ses visites comme des provocations? Ou peut-être s'était-il lassé des choux à la crème et des croissants aux amandes? Sans doute avait-elle eu raison dès le début de penser qu'il n'était pas homme à se concentrer longtemps sur une même personne.

Angie était bien décidée à oublier jusqu'à son existence. Audrey, en revanche, en avait décidé autrement, surtout après qu'Angie lui eut raconté ce qui s'était passé quand Luke l'avait raccompagnée chez elle le soir du bal. Audrey, qui demeurait plus que jamais une incorrigible entremetteuse, avait cru déceler la possibilité d'une liaison plus poussée et refusait d'en démordre.

– Luke est encore resté dîner hier soir, annonça-t-elle le mercredi matin, tandis qu'Angie s'apprêtait à ouvrir la boutique.

– Ah bon, répondit Angie d'un ton aussi neutre que possible, en faisant mine de consulter le planning de la journée puis celui des courses.

Luke passait de plus en plus de temps à l'écurie de Brian, et semblait s'être lié d'amitié avec ce dernier.

– Il est si gentil avec les enfants, ajouta Audrey. D'ailleurs, ils l'adorent. Il ferait vraiment un père parfait...

Angie dévisagea son amie d'un air entendu;

– Si, je t'assure, insista Audrey.

– Nous ajouterons donc cela à l'interminable liste des qualités de Luke Wilder.

– C'est ça, ricane, cingla Audrey en retour. Je sais que tu n'as aucune intention d'avoir une liaison avec Luke, mais je ne vois pas pourquoi tu montes sur tes grands chevaux dès qu'il en est fait la moindre mention...

– La moindre mention!? Alors ça, c'est le bouquet! Wilder serait bien inspiré de t'engager comme attachée de presse, Audrey. Ou comme directrice de campagne, si jamais il décide de se faire élire maire de Chatham Falls.

– Hmmm... Tu as peut-être raison. Je suis sûre qu'il serait élu au premier tour, avec quatre-vingt pour cent des voix.

En sortant de l'arrière-boutique, elle décocha une œillade à son amie.

7

Angie regardait la parade de Thanksgiving à la télévision, la seule fête de l'année qui lui faisait regretter la ville. Elle se jura, si elle avait un jour des enfants, de les emmener la voir tous les ans à Manhattan.

Sa grippe était revenue en force. Elle l'avait combattue toute la semaine durant, mais avait dû déclarer forfait en se réveillant ce matin-là. Elle était épuisée, et ne se sentait absolument pas en état de passer la journée chez Audrey.

Elle décrocha le téléphone et composa le numéro de son amie, qui accueillit sa voix enrouée par des exclamations aussi indignées qu'inquiètes. Angie parvint à lui expliquer qu'elle était trop mal pour aller déjeuner chez elle. Audrey promit de lui faire porter de la soupe pour la réconforter.

– Une bonne soupe faite maison, voilà ce dont tu as besoin. Ça te requinquera. Enfin, j'espère que le bouillon de dinde est aussi efficace que le bouillon de poule.

– J'ai le nez si pris que je ne ferais pas la différence si c'était du rat.

– Oooh, ma pauvre chérie. Retourne vite te coucher. Tu n'as plus de voix.

– Je suis au lit.

– Alors n'en bouge pas, et essaie de dormir un peu. Je te ferai porter ta soupe quand elle sera prête.

Après avoir raccroché, Angie éteignit la télévision et se glissa sous la couette épaisse de son lit. Il n'y avait rien de plus déprimant que d'être malade le jour de Tanksgiving, songea-t-elle en sombrant dans un sommeil sans rêve. Pourvu qu'Audrey lui garde quelques restes du repas. Audrey était un cordon bleu...

Pendant qu'elle dormait, Jezebel était entrée doucement dans la chambre pour venir se blottir sur le lit, contre sa maîtresse.

Angie fut soudain réveillée en sursaut par sa chienne qui venait de bondir du lit et dévalait l'escalier en aboyant à tue-tête. On frappait à la porte d'entrée.

« La soupe... », songea Maggie, encore toute ensommeillée.

Un émissaire d'Audrey venait lui apporter sa pitance.

Elle écarta Jezebel et ouvrit la porte en tenant son peignoir fermé d'une main.

– Pas facile de trouver un médecin qui fasse des visites à domicile de nos jours, hein? fit une voix par trop familière.

– Luke? Qu'est-ce que vous faites ici...? interrogea la jeune femme en se penchant pour attraper le collier de sa chienne, laissant son peignoir s'entrouvrir. – Luke écarquilla les yeux, à la fois amusé et séduit. – ... A part me regarder?

– Ne vous inquiétez pas. Mon intérêt pour votre anatomie est aujourd'hui strictement médical. Tenez, voici ma trousse, ajouta-t-il en désignant un panier de pique-nique recouvert d'un torchon à carreaux rouges et blancs. Je vous ai apporté le dernier remède miracle en date : du bouillon de dinde.

Angie se demanda par quel hasard Luke avait été chargé de cette mission, mais il ne fallait pas être grand clerc pour y voir une intrigue de l'inévitable Audrey.

– Merci, fit-elle en reniflant. Je crois que je vais m'en tirer toute seule.

– Hum, attendez, répliqua Luke en éloignant le panier. J'ai prêté le serment d'Hippocrate, vous savez. Et puis, Audrey m'a fait promettre de vous préparer votre bol pour que vous puissiez vous recoucher tout de suite.

– Je vous assure, que je peux le faire moi-même.

– Quoi? Que vois-je? poursuivit-il en l'écartant d'un geste pour entrer. Vous n'avez pas mis vos chaussons, et votre peignoir est bien trop léger pour vous protéger. Vous voulez attraper une pneumonie, ou quoi? Vous êtes la femme la plus entêtée que j'ai jamais vue!

Il referma la porte derrière lui.

Angie n'avait jamais considéré sa robe de chambre lavande si affriolante, mais elle en resserra instinctivement les pans autour de son cou.

Le peignoir était de Dior, et elle aimait le porter quand elle était malade.

– Pourquoi criez-vous comme ça? C'est votre façon de réconforter les malades ou...?

Angie fut interrompue par un éternuement violent.

– Je ne crie pas! hurla-t-il. Retournez vous coucher immédiatement. Dussé-je vous porter sur mon épaule...

– Luke, je suis parfaitement capable de monter l'escalier toute seule, je ne...

Elle éternua encore quatre fois de suite. Luke semblait sur le point de mettre sa menace à exécution, et pour échapper à une telle humiliation, la jeune femme se dépêcha de remonter l'escalier.

– Vous voyez, je monte. Mon Dieu..., quel cirque vous faites!

Elle regagna sa chambre sans lui laisser le temps de répondre. Elle n'était pas en état de discuter plus longuement avec lui. Une fois qu'elle fut au lit, il regonfla ses oreillers et la borda comme une petite fille, puis descendit à la cuisine pour réchauffer sa soupe.

Quand elle entendit le tintement des casseroles, elle se leva sur la pointe des pieds et se glissa dans la salle de bains pour jeter un coup d'œil dans le miroir.

Luke l'avait vue dans cet état! Elle se demandait comment il n'avait pas pris ses jambes à son cou en la découvrant ainsi. A la hâte, elle défit sa natte malmenée par le sommeil et brossa énergiquement ses cheveux. Puis, elle se savonna vigoureusement le visage. Sa peau était extrêmement pâle, exception faite des cernes bleutés sous ses yeux, et du bout de son nez, rouge brique. Elle n'y pouvait pas grand-chose, se dit-elle en se recouchant après s'être séchée.

Quelques instants plus tard, Luke remontait l'escalier en sifflotant. Il portait un plateau assez chargé pour nourrir une famille de cinq personnes.

– Jamais je ne vais manger tout ça, Luke! protesta-t-elle comme il posait son fardeau sur le lit.

– J'espère bien, il y en a aussi pour moi. Comme le devoir m'appelait, j'ai dû renoncer à dîner avec Audrey et Brian.

– Ah bon? Comme c'est gentil à vous.

– Ah oui, ne suis-je pas un galant homme, dévoué, et tout... Quel sacrifice, Dame Tarte, que de devoir dîner en compagnie d'une femme superbe, vêtue d'un charmant négligé, au pied de son lit. Dieu que la vie est dure, parfois.

– Vous savez bien ce que je veux dire, répondit-elle en riant.

– Oui, oui. Mangez votre soupe avant qu'elle ne soit froide.

– Oui, docteur.

Avec le concours complaisant de Jezebel, ils eurent tôt fait de vider les assiettes. Luke mangea même une part de la tarte à la citrouille d'Angie.

Repue mais toujours fatiguée, Angie se rallongea pendant que Luke faisait du feu dans la cheminée de la chambre. Les attentions touchantes du jeune homme l'avait réconfortée, et elle glissa bien vite dans un sommeil paisible.

Quand elle se réveilla, la chambre était baignée de l'éclat doré du feu mourant. Il lui fallut un moment pour se rappeler qu'elle n'était pas seule. L'étoffe douce de la chemise de flanelle du jeune homme et la chaleur brute de son corps massif contre le sien lui firent cependant bien vite reprendre ses esprits. Il était allongé à côté d'elle, au-dessus de la couette, un livre dans une main, son autre bras autour des épaules d'Angie. Dans son sommeil, celle-ci s'était instinctivement pelotonnée contre lui et avait passé un bras autour de sa taille.

– Alors, murmura-t-il quand elle eut ouvert les yeux. Vous vous sentez mieux?

Elle acquiesça, un peu honteuse de se retrouver dans une position aussi intime, mais peu désireuse de la quitter.

– J'ai l'impression d'avoir dormi des heures. Quelle heure est-il?

– Six heures, à peu près, répondit-il en consultant le réveil sur la table de nuit. Vous avez fait des rêves. Vous parliez en dormant.

– Ah bon? fit la jeune femme, intriguée, en se redressant sur son séant. C'était sans doute un cauchemar... Je me noyais dans un bac de pâte à pain ou quelque chose comme ça. Je... je me souviens rarement des rêves que je fais.

– Bon, je crois qu'il est temps de prendre votre aspirine, trancha-t-il en se levant d'un bond. Je vais vous chercher ça. Vous voulez un verre de jus de fruit pour faire passer ça?

– Oui, bonne idée répondit-elle en se demandant s'il avait l'intention de jouer longtemps les gardes-malades. Bien qu'il ait parfois le don de l'exaspérer au-delà du possible, elle se devait de reconnaître qu'il avait été formidable.

Luke remonta bientôt avec l'aspirine et le verre de jus de fruit. Il les lui tendit et se rallongea à ses côtés sur le lit.

– Vous voulez jouer aux cartes? J'ai trouvé ce jeu dans le tiroir de la cuisine.

– D'accord, dit-elle en lui prenant le paquet des mains pour battre les cartes. A quoi voulez-vous jouer?

Il haussa les épaules.

– Je ne sais pas. Black jack? Gin rummy? Poker?

– Poker.

– Vous savez jouer au poker?

– Un peu.

– Ah bon...

– Allons-y. Une paire ou mieux pour ouvrir. Coupez, s'il vous plaît.

– Vous avez dit que vous saviez jouer *un peu*? interrogea-t-il d'un ton soupçonneux, stupéfait par sa dextérité presque professionnelle.

– Exactement. Vous voulez que l'on mette un peu de piquant dans le jeu?

– Vous voulez jouer pour de l'argent...?

– Non, pas exactement. Notre monnaie sera cette boîte de pastilles pour la gorge. Chacune vaut mille dollars, d'accord?

– Vous n'y allez pas avec le dos de la cuiller. Bon, ça marche. Et pas de dettes, hein?

– Marché conclu.

Quelques instants plus tard, Angie avait gagné toutes les pastilles de Luke, plus de trente mille dollars de dettes.

– Je sais reconnaître ma défaite, maugréa Luke en abattant son jeu. Je ne vais pas vous demander où vous avez appris à jouer comme ça... Je crois que je préfère ne pas savoir.

Angie haussa les épaules.

– J'ai toujours eu de la chance aux cartes.

– Heureusement pour moi, le proverbe dit : « Heureux au jeu, malheureux en amour », et vice versa. Voilà pourquoi je vous cède de bon cœur toutes mes pastilles, Dame Tarte.

S'il l'embrassait, Angie savait que le jeu serait fini. Elle ne pouvait plus se défendre contre ses assauts.

A sa grande surprise, toutefois, il n'en fit rien. Il se releva par aller attiser le feu qui faiblissait. Ensuite, il alluma la télévision, et changea plusieurs fois de chaîne avant de trouver un programme qui lui convienne. On donnait ce soir-là un vieux film avec James Stewart.

– Je sais qu'il repassera au moins dix fois d'ici Noël, déclara-t-il en se rallongeant, mais c'est un de mes films préférés. Il faut que je le regarde. Ça ne vous ennuie pas?

– Pas du tout. J'aime beaucoup ce film, moi aussi.

Pendant qu'ils jouaient aux cartes, Jezebel était venue se lover au pieds du jeune homme, et dormait profondément.

– Jezzie, tu sais que tu n'as pas le droit d'être là. Descends, gronda Angie.

La chienne leva la tête et contempla sa maîtresse avec un regard triste, sans pour autant obéir.

– Oh, laissez-la. Elle me tient chaud aux pieds.

La jeune femme s'esclaffa.

– C'est à croire qu'elle s'est trouvé un nouveau maître. Elle vous adore.

Jezebel avait appuyé sa tête sur le pied de Luke, qu'elle regardait avec des yeux implorants.

– Il y a au moins une personne ici qui a bon goût, murmura-t-il.

Elle était sur le point de lui dire que Jezebel n'était pas la seule dans ce cas, mais préféra n'en rien faire.

Tandis qu'ils regardaient le film, Angie se laissa de nouveau peu à peu envelopper par les bras puissants du jeune homme. Elle logea sa tête au creux de son épaule et passa un bras autour de son torse. Avant que le film soit terminé, elle s'était encore endormie.

Angie se réveilla le lendemain matin en entendant Luke siffler gaiement sous la douche. Il lui fallut un moment pour émerger et se rappeler les événements de la veille.

Elle se leva et enfila son peignoir. Elle se sentait déjà beaucoup mieux, et Luke était sans aucun doute le grand responsable de ce prompt rétablissement. Il était indéniable que sa présence, et l'énergie positive qui s'en dégageait, avait un effet stimulant sur son organisme. Elle songea tout d'abord descendre préparer le petit déjeuner, mais préféra en définitive écouter la voix masculine mêlée au bruissement de l'eau. Comme il allait lui manquer quand il s'en irait.

Devait-il s'en aller? Luke ne lui avait pas caché qu'il souhaitait avoir une place dans sa vie, une chance de découvrir si quelque chose d'important et vrai pouvait naître de l'étourdissante attirance qu'ils éprouvaient l'un pour l'autre. La veille, Angie avait commencé à se rendre compte qu'elle risquait de rater une occasion unique en ne leur donnant pas une chance à tous les deux. En même temps, elle avait une telle peur de l'échec qu'elle préférait ne rien risquer du tout.

Mais là encore, peut-être Luke avait-il raison. Peut-être avait-elle laissé le mauvais souvenir de son échec conjugal jeter une ombre sur sa vie. Et combien de temps allait-il attendre qu'elle change d'avis? Combien de temps faudrait-il pour qu'une autre femme se présente et lui fasse oublier Angie?

Distraitement, elle ramassa la chemise du jeune homme sur le tapis et la posa sur le dossier d'une chaise.

Elle était encore si peu sûre d'elle. Elle avait si peur. Pourtant, et cela constituait peut-être un progrès, elle avait plus peur de le perdre que de s'engager dans une relation.

Pieds nus, elle sortit dans le couloir. La porte de la salle de bains était entrouverte. Elle la poussa du bout du doigt.

– Angie? appela Luke, interloqué, de derrière le rideau de la douche.

– Oui?

Sans hésiter, elle noua ses cheveux en chignon sur sa tête.

– Je sors dans une minute.

– Prenez tout votre temps, répondit-elle en faisant glisser sa chemise de nuit à ses pieds.

Excepté l'eau qui s'écoulait, le silence était total.

– Voulez-vous que je laisse l'eau couler quand j'aurai fini?

Angie tira sur la bordure du rideau de douche, et scruta à travers le nuage de vapeur. Luke lui tournait le dos. Elle contempla son dos large et musclé, ses hanches étroites, sa taille droite, ses jambes qui semblaient taillées dans le marbre. Angie retint son souffle devant cette vision ensorcelante.

– Vous devriez rester sous la douche, parvint-elle à articuler.

Il fit volte-face au moment où elle mettait le pied sous le jet pour se couler à ses côtés. Instinctivement, il tendit la main pour l'aider à le rejoindre. Déjà, ses yeux la dévoraient de la tête aux pieds. Il avait l'air choqué, remarqua la jeune femme avec malice.

Elle baissa les yeux sur sa taille pour constater, non sans une pointe de fierté, que la vue qui s'offrait à lui ne lui était pas désagréable. Pourtant, il ne fit pas mine de la toucher.

– Vous êtes certaine de savoir ce que vous êtes en train de faire?

Angie acquiesça et lui prit le savon des mains.

– D'abord, je vais vous laver le dos et ensuite je vous ferai l'amour.

Les grands bras musclés se refermèrent sur elle en une étreinte passionnée, et il la souleva contre son torse. Angie soupira de plaisir au contact de son corps dur plaqué contre le sien. Elle voulait être plus proche encore de lui, et s'agrippa fébrilement à ses épaules.

– Je me suis déjà lavé le dos, murmura-t-il contre sa bouche, la voix chargée de passion et d'émotion. Passons à l'étape suivante.

Sous le jet torride de la douche, leurs bouches se rencontrèrent et se mêlèrent en un baiser fougueux.

Les mains du jeune homme allaient et venaient sur le dos lisse et satiné d'Angie, explorant sans relâche son relief paresseux, s'aventurant, audacieuses, jusqu'au creux de ses reins. Puis, il la souleva dans ses bras en la plaquant contre lui, pressant contre l'antre de sa féminité l'évidence de son impérieux désir.

– Tu sens comme j'ai envie de toi? susurra-t-il à son oreille.

Le désir de la jeune femme était tout aussi intense. Tandis qu'il commençait à se mouvoir contre elle, le corps d'Angie se raidit, en proie à une indiscible langueur.

Ils furent bientôt allongés côte à côte dans la baignoire, sous le flot brûlant de la douche qu'ils avaient déjà oublié, si étroitement enlacés qu'on eût dit qu'ils ne faisaient plus qu'un.

– Dis-moi ce que tu veux, mon amour. Tes désirs sont des ordres.

– Je ne veux rien d'autre que toi. Je veux te sentir en moi, et... et je ne veux plus attendre.

– Moi non plus, répondit-il en couvrant sa gorge de baisers.

Ils ne se donnèrent même pas la peine de se sécher pour regagner la chambre d'Angie.

Toujours enlacés, ils se laissèrent choir sur le grand lit défait. Angie étreignit Luke avec ferveur et enserra sa taille de ses jambes minces et galbées. Elle brûlait de ne faire plus qu'un avec lui.

La jeune femme tressaillit violemment, électrisée, quand il fut en elle.

Peu à peu, il la fit entrer dans la danse de l'amour, et ses assauts, tout d'abord lents et mesurés, allèrent croissant pour bientôt perdre toute retenue et donner libre cours à un déchaînement de passion.

Le corps d'Angie était offert, ouvert comme une fleur exposée à l'énergie vitale d'un grand soleil d'été. Elle l'attira au plus profond de son être, jusqu'à ce que leur âme et leur corps, unis dans un même élan irrépressible, franchissent, radieux, la crête lumineuse de l'extase pour se perdre dans les limbes de l'assouvissement le plus total.

Ils restèrent un long moment figés, repus de plaisir, rassasiés de bonheur, comblés de tendresse, emplis d'une joie immense, et ne trouvant pas de mots pour exprimer la plénitude de leur cœur.

Le visage de Luke était enfoui dans l'oreiller. Finalement, le jeune homme releva la tête pour se retirer de l'étreinte de la jeune femme.

– Non, pas encore, murmura Angie, en serrant les jambes autour de lui pour le retenir. Reste un peu encore.

– Tu es encore plus belle que d'habitude quand tu fais l'amour, Dame Tarte, soupira-t-il avec contentement. Alors, dis-moi, tu ne regrettes pas d'être entrée sous la douche?

Angie ouvrit lentement les yeux pour découvrir son beau visage, juste au-dessus d'elle. Ses yeux brillaient d'une émotion si pure, si brute, qu'elle sentit son cœur s'emplir de joie et de ravissement. Elle prit son visage entre ses mains et embrassa doucement ses lèvres.

– Je n'ai qu'un regret, répondit-elle enfin.

– Ah bon? Lequel?

Il releva la tête.

– De ne pas avoir fait l'amour plus tôt avec toi, chuchota-t-elle avec un sourire espiègle.

– Alors, je me ferai un plaisir de rattraper le temps perdu.

Un instant plus tard, Luke roula sur le dos, entraînant à nouveau sa compagne dans ses bras. Angie se redressa sur lui pour mieux le contempler. Elle caressa son torse large, jouant avec les boucles dorées de sa toison. Elle sentit ses mains se presser contre ses hanches, et son désir renaître en elle. Lentement, elle se mit à onduler des hanches sur lui, le regard perdu dans le sien.

– *Nous* nous ferons un plaisir..., corrigea-t-elle.

Ils se turent tous deux, car déjà le langage des corps avait remplacé celui des mots. Ils s'étreignirent des heures durant.

8

SEULE une entremetteuse parvenue à ses fins pouvait glousser et papillonner fièrement comme le faisait Audrey, se dit Angie ce matin-là. Près de deux semaines s'étaient écoulées depuis Thanksgiving. Combien de temps son amie avait-elle l'intention de continuer ses fanfaronnades?

Angie ne niait pas la contribution d'Audrey à son bonheur tout neuf: d'abord, elle lui avait envoyé Luke avec son panier et sa soupe, puis, après avoir appris qu'il avait passé la nuit chez elle, elle s'était portée volontaire pour tenir la boutique pendant le week-end, afin que le jeune homme puisse s'occuper de la convalescente. Pourtant, la jeune femme jugea inutile de remercier son amie: Audrey était bien assez contente d'elle-même comme ça.

Au comble du bonheur, Angie n'était d'ailleurs nullement affectée par les enfantillages de son amie.

Le seul moment difficile avait été de rompre avec Spencer. Quand il était rentré de sa conférence à Albany, ils avaient déjeuné ensemble.

Angie lui avait expliqué, avec autant de délicatesse que possible, ce qui s'était passé avec Luke. Spencer ne fut pas surpris. Elle ne lui avait jamais fait de promesses, et ils le savaient tous deux. Il lui avoua qu'il avait espéré que leur liaison déboucherait sur une union durable, mais lui souhaita néanmoins beaucoup de bonheur.

– Vous avez déjà l'air heureuse, Angie. Moi, je n'ai jamais réussi à effacer la tristesse de votre visage. Luke, lui, y est parvenu. Vous êtes plus belle que jamais, comme si vous étiez vraiment amoureuse. Cela me fait d'autant plus de peine de devoir vous quitter...

– Spencer... je suis désolée.

Spencer avait raison. Elle se sentait différente. Elle se sentait comme toute neuve. L'amour de Luke l'avait changée.

– Quoi qu'il arrive, j'espère en tout cas que je conserverai votre amitié. Soyez en tout cas assurée de la mienne...

– Vous êtes chic, Spencer.

La jeune femme lui était reconnaissante de lui avoir facilité les choses. Beaucoup d'hommes auraient réagi avec rancœur et violence, mais Spencer et elle avaient toujours partagé une compréhension mutuelle qui interdisait toute dispute. Elle était convaincue qu'ils resteraient bons amis.

Ce soir-là, elle raconta à Luke sa conversation avec le vétérinaire. Le jeune homme fut touché par le fair-play de son ancien rival, et complimenta Angie pour s'être montrée à la hauteur de la situation. Il la rassura en se montrant attentif et sensible. Le bonheur de Luke faisait le sien. Il n'y avait aucun secret entre eux, et plus rien ne les séparait.

Après le week-end de Thanksgiving, ils ne s'étaient plus quittés une minute. Ils passaient presque tout leur temps chez Angie, étant donné que la maison de Luke était en chantier.

La jeune femme était ainsi comblée. Le soir, quand elle rentrait de la pâtisserie et trouvait la voiture de Luke garée dans son allée, son cœur fondait de bonheur. Il préparait généralement un souper simple mais fin, dont les effluves parvenaient jusqu'au dehors, titillant leur odorat.

Ils ne dînaient cependant jamais avant d'avoir fait longuement l'amour. Angie ne voyait pas comment leur entente physique pouvait encore s'améliorer, et pourtant, elle allait chaque fois de surprise en surprise. Plus Luke lui donnait d'amour, plus elle avait faim de lui et voulait lui donner en retour. Chaque occasion était unique, spéciale, différente.

Tout alla parfaitement bien jusqu'à la mi-décembre, quand ils eurent leur première dispute. Ils étaient dans la chambre d'Angie, prêts à se coucher, quand Luke annonça qu'il allait devoir descendre en ville pendant au moins une semaine. Il quitterait Chatham Falls jeudi.

– Ah bon? Tu as un problème au bureau?

– Non, rien de particulier. Je dois simplement faire un discours à un banquet de charité vendredi. Et puis, ça fait des semaines que je n'ai pas mis les pieds au bureau, et je crois qu'une petite reprise en main s'impose.

– C'est bien possible, répondit Angie en se glissant sous les couvertures.

Un banquet de charité ne signifiait qu'une chose pour la jeune femme : la présence de journalistes, qui n'allaient pas manquer d'interviewer Luke. C'était la raison pour laquelle, pour se faire un peu de publicité, les organisations caritatives s'assuraient toujours de la présence d'une ou deux célébrités lors de telles manifestations. Les personnalités comme Luke attiraient la presse comme un pot de miel un essaim d'abeilles.

– Angie? Qu'est-ce qu'il y a? Pourquoi as-tu l'air toute triste?

– Je ne sais pas. Tu vas me manquer, c'est tout.

Ce serait leur première séparation depuis Thanksgiving, mais Angie savait que ce n'était pas la seule raison de son trouble.

– Tu vas me manquer, toi aussi. Qui va me remettre à ma place toutes les minutes, comme tu sais si bien le faire?

– Tu peux m'appeler quand tu veux.

– Pourquoi ne viendrais-tu pas avec moi? Nous pourrions bien nous amuser. La ville est tellement belle, à cette époque de l'année, avec toutes les décorations de Noël. On pourrait faire des courses, aller voir l'arbre de Noël du Rockefeller Center, aller au théâtre ou à l'opéra. Je sais que tu adores l'opéra.

– Oui, c'est tentant, soupira-t-elle sans enthousiasme, mais je ne peux pas m'absenter de la boutique trop longtemps. Je me suis beaucoup reposée sur Audrey et Jane, ces derniers temps. Je ne veux pas abuser de leur gentillesse. Elles pourraient décider de rendre leur tablier.

Luke ne semblait absolument pas convaincu par son argumentation.

– Ne dis pas de bêtises, enfin. Juste quelques jours. Et puis j'ai même entendu Audrey te harceler pour que tu prennes des vacances.

– Audrey me harcèle toujours pour une raison ou une autre, mais elle est tellement tête en l'air que j'aurais trop peur de la laisser seule à tenir la boutique.

– Oh, allez, Angie. C'est une pâtisserie, pas la Maison Blanche. D'ailleurs, même le Président prend des vacances.

– Je sais que ce n'est pas une multinationale, mais c'est mon affaire et je compte bien m'en occuper comme je l'entends.

– Ne prends pas ça comme une insulte! Tu sais très bien ce que je veux dire. Tu me caches quelque chose, Angie. De quoi as-tu peur.

– Qu'est-ce que tu racontes? Je n'ai peur de rien. Je n'aime pas la ville, c'est tout. Il y a trop de monde, tout est trop cher, et les gens sont désagréables. Si j'aimais Manhattan, j'y vivrais encore.

– Et nous savons tous les deux pourquoi tu es venue t'installer ici : pour qu'on te laisse tranquille et que personne ne vienne se mêler de ta vie privée. C'est ça, hein? tu as peur d'être vue avec moi.

– Ne sois pas ridicule, tu présentes les choses comme si je te prenais pour un monstre infréquentable. Ce qu'il y a c'est que je ne supporte pas l'idée de voir un inconnu me coller un micro ou une caméra sous le nez pour me poser des questions sur des sujets dont je n'oserais même pas parler à ma propre mère.

– Angie, je comprends tout ça, mais je te promets que personne ne te dérangera. Angie, je t'aime, et je veux être toujours avec toi. Pas seulement ici, à la campagne, mais partout. Si nous devons rester ensemble, il va falloir résoudre ce problème tôt ou tard.

– Je préférerais plus tard que jeudi prochain, si ce n'est pas trop te demander.

– Si, c'est beaucoup trop ! Tu ne penses qu'à toi !

– Luke...

Elle se tourna pour l'enlacer, mais il se leva et s'en fut vers la salle de bains. Angie descendit à la cuisine pour se faire une tasse de thé. Pendant que l'eau chauffait, la jeune femme fondit en larmes. Quand elle revint dans la chambre, Luke s'était couché et avait éteint la lumière.

– Angie, murmura-t-il. Ne pleure pas.

– Je suis désolée. J'espère que tu ne m'en veux pas. Je ne voulais pas avoir l'air d'une égoïste.

– Chut, ordonna le jeune homme en l'embrassant. Oublions tout ça. Je te comprends. J'ai été bête d'essayer de te forcer à venir. Pardonne-moi d'avoir élevé la voix.

– Moi aussi, j'ai crié, mais je t'aime tant que j'ai changé d'avis. Je vais venir avec toi à New York.

– Ne t'en fais pas, ce n'est pas la peine. Et puis, New York est invivable à cette époque de l'année...

– Si, je veux venir.

– Dors. Nous en reparlerons demain matin.

9

LA vue de l'appartement de Luke était fantastique. Angie ne s'en lassait pas. Elle tira les rideaux, et son regard embrassa Central Park et la Cinquième Avenue.

Le jour se levait à peine, et déjà les trottoirs grouillaient de monde. Les taxis jaunes klaxonnaient à tue-tête, cherchant à se frayer un chemin dans les embouteillages. Angie avait oublié que tout allait si vite, à New York. Les gens parlaient plus vite, marchaient plus vite, mangeaient plus vite, et vous demandaient votre avis sur tout sans vous laisser le temps de réfléchir. L'ambiance était électrique, excitante.

La semaine avait passé comme en un clin d'œil. On était déjà mercredi. Angie avait décidé d'aller visiter le musée d'Art moderne, se mettre au courant des acquisitions récentes. Ensuite, elle irait faire quelques courses avant de retrouver Luke vers cinq heures.

La journée passa en un éclair, mais Angie eut bientôt fini ses courses, et rentra chez Luke avec une heure d'avance. En entrant dans l'appartement, elle constata avec plaisir que Luke était déjà là. Son attaché-case et le *Wall Street Journal* avaient été négligemment jetés sur une chaise.

Elle entendit sa voix qui venait du salon, et se demanda avec qui il pouvait bien parler.

– Bonsoir, ma chérie. Viens par ici, je voudrais te présenter quelqu'un, fit-il avec un sourire forcé. Carla Cunnigham...

Carla Cunnigham, une petite femme brune et boulotte, était assise sur le canapé en face de Luke. Elle se leva quand Angie entra et dévisagea la jeune femme à travers d'énormes lunettes à monture rouge. Ses cheveux très courts étaient coiffés à la diable. Elle lui serra énergiquement la main.

– Enchantée. Je suis journaliste à *Toutes les Nouvelles*. Luke et moi bavardions de sa contribution aux œuvres de charité, mais je serais ravie de pouvoir vous poser aussi quelques questions, Angie.

– Heu, mais bien sûr...

Luke grimaça.

– Carla était sur le point de partir. N'est-ce pas Carla? Je lui ai dit que tu serais probablement trop fatiguée pour répondre à ses questions aujourd'hui.

– Dites-moi, comment vous êtes-vous rencontrés, déjà? ... A Cheddar Falls, c'est bien ça?

– Chatham Falls, corrigea Angie.

La journaliste nota aussitôt cette information sur son carnet. Sans comprendre ce qui lui arrivait, Angie fut aussitôt assaillie de questions.

Quand Carla Cunningham demanda si l'on pouvait envisager la possibilité d'un prochain mariage, Luke et Angie répondirent ensemble, mais en exprimant des avis différents.

– C'est plus que probable, affirma Luke avec assurance.

– C'est beaucoup trop tôt pour le dire, répondit, quant à elle, Angie.

Visiblement très satisfaite d'elle-même, Carla ne cessait plus de griffonner. Luke et Angie échangèrent un regard furieux. Il était temps de mettre l'intruse à la porte. Après avoir reconduit la journaliste, Luke se précipita auprès de la jeune femme, l'air accablé.

– Je suis désolé qu'elle ait été encore là quand tu es arrivée. Je devais la rencontrer au bureau, mais quelqu'un l'a envoyée ici.

– Luke, fit Angie en prenant sa main, ne t'inquiète pas. Tu n'y es pour rien. Je ne suis pas fâchée.

– Mais je t'avais promis que ça ne se produirait pas. Pas même une photo. Et voilà que cette Carla Cunnigham veut te faire subir un interrogatoire digne de l'Inquisition. Bon sang, Angie, je t'ai pourtant offert une porte de sortie. Tu aurais pu prétexter une migraine ou que sais-je... Maintenant, c'est moi qui en ai une.

– Je savais qu'elle était ici pour te parler des œuvres de charité. Je ne voulais pas être désagréable.

– Quelle sale petite indiscrète. Elle a dû se casser les dents à plus d'une reprise, à mettre son nez là où elle ne devrait pas, si tu veux mon avis.

– Mais en tout cas, ce n'était pas ta faute, fit-elle d'un ton las. Je crois que nous étions bien naïfs de penser que nous pouvions échapper à la presse, même pendant quelques jours.

– Oh, ne dis pas ça. Et puis, elle va à coup sûr écrire un article flatteur sur toi. J'en suis convaincu. Elle te mangeait littéralement dans la main.

– Elle ne mangeait pas... Elle regardait si j'avais une bague de fiançailles.

– Oh, ça...

– Oui, ça! s'esclaffa-t-elle. Je suis curieuse de savoir ce qu'elle va faire de *ça*.

Ils ne parlèrent plus de Carla Cunnigham, mais sur le chemin du retour vers Chatham Falls, Angie ne cessa d'y penser. Pendant leur séjour à New York, elle avait peu appris de la vie citadine de Luke. Non seulement ce dernier avait cherché à la lui cacher, mais elle avait totalement coopéré et encouragé cette attitude en faisant mine d'ignorer certains aspects de son existence.

Ce n'était pas donc tant l'irruption de la presse qui la tourmentait – elle aurait bien fini par s'y habituer – que le fait de constater qu'elle ne connaissait pas encore très bien Luke. Allait-il regretter un jour d'avoir quitté la ville, ses lumières, ses tentations?

Combien de temps le petit village de Cheddar Falls retiendrait-il son intérêt? Quand la tranquillité des collines du Nord finirait-elle par le rendre morose? Quand le silence de la nature finirait-il par lui peser?

Pour l'instant, la restauration de sa maison avait des allures de défi, mais ensuite? Les corvées quotidiennes de la vie campagnarde perdraient vite leur charme, à côté du clinquant de Broadway.

Angie avait peine à concevoir qu'ils puissent se séparer un jour, mais il fallait bien se rendre à l'évidence et admettre que leur voyage à New York avait fait surgir en elle mille questions qui pour l'instant demeuraient sans réponse.

Luke avait une façon déroutante de tout faire paraître si simple et facile. *Toutes les Nouvelles* allait bientôt livrer leur vie privée en pâture au public, et si sa liaison avec Luke était un échec, Carla Cunnigham se ferait un plaisir de le clamer haut et fort.

– Pourquoi es-tu si calme? s'enquit Luke, jetant un regard de côté.

– Oh, rien de particulier, répondit-elle en contemplant d'un air las le paysage de montagnes enneigées qui se déroulait devant eux. Je pensais à la liste de provisions que je vais devoir acheter. J'ai tellement de commandes pour Noël que je ne vais pas savoir par où commencer. Et puis, tous les cadeaux à faire...

– Nous retournerons à New York avant Noël, pour un week-end.

C'était bien la dernière chose que la jeune femme voulait entendre.

– A New York ou ailleurs, fit-elle sans enthousiasme. Il y a quand même des magasins plus proches que *Bloomingdale's*. La vie à la ville te manque, hein?

Il ne répondit qu'après un silence.
– De temps en temps, oui. Tu t'es bien amusée ?
– Oh, oui, bien sûr. C'était merveilleux.
C'était vrai, mais elle savait aussi que jamais New York ne lui manquerait comme elle manquait à Luke.

10

– QUEL culot tu as ! Tu ne m'as rien dit, à moi, ta meilleure amie ! s'exclama Audrey en entrant dans la boutique, un magazine à la main. Pourquoi ne m'as-tu pas dit que tu avais été interviewée par *Toutes les Nouvelles ?*

– Oh, ça... ? répondit Angie.

Elle jeta un œil sur la revue, avant de se replonger sur ses comptes. Ça commençait. Audrey n'aurait pas été plus impressionnée si elle lui avait annoncé qu'elle épousait le président des États-Unis.

– Ça ne te fait rien d'avoir ton nom dans le journal ? Tu ne veux pas lire l'article ?

– Je le lirai plus tard – Angie était curieuse de voir l'article mais préférait attendre, pour se préparer au pire. – Qu'est-ce que ça dit ?

– Je ne sais pas. Je n'ai pas vraiment eu le temps de le dire moi-même, répondit Audrey en se servant une tasse de café. Nous y voilà. Je vais te le lire à voix haute...

L'article était écrit dans le style excessif caractéristique des journaux à scandale. On y faisait bien mention des œuvres de charité de Luke, mais tout à la fin du texte seulement. Le sujet principal était Angie, qui était passée sans hésiter de Chad Daniels à un autre bourreau des cœurs, Luke Wilder. La jeune femme reconnut quelques unes des réponses qu'elle avait faites au reporter, mais le plus souvent dénaturées, tournées dans un style ridicule et niais. La journaliste expliquait que Luke était tombé amoureux d'Angie en mangeant ses pâtisseries. A partir de là, Carla Cunningham spéculait sur la recette miracle de la jeune femme, qui lui avait permis de mettre le grappin sur deux célébrités. Pour toute réponse, elle citait Chad : « Cette femme savait cuisiner, si vous voyez ce que je veux dire... » En conclusion, elle suggérait à la belle pâtissière d'écrire un livre de recettes de cuisine à l'usage des femmes seules.

– Tu crois vraiment que Chad a dit ça? grommela Angie. Je devrais peut-être lui faire un procès.

– Tu as vu les photos? répondit Audrey.

– Il a des photos, aussi?

Sur le premier cliché, on la voyait en compagnie de Chad. Sur la seconde, elle était avec Luke, dans son appartement.

– Oh, mon Dieu, c'est un vrai cauchemar. Je n'aurais jamais dû répondre aux questions de cette sale journaliste. J'ai dû perdre la tête, gémit-elle.

– Ne t'en fais pas, et calme-toi. Elle a bien mis en valeur le côté romantique de votre histoire. Ce n'est pas si épouvantable que ça.

– Romantique, romantique! C'est dégoûtant, oui. Quand je pense qu'elle a même appelé Chad pour lui demander un commentaire... Cette femme est une ordure.

– Et elle a dit que tu étais bonne cuisinière. Cela aurait pu être pire.

– Bien sûr. J'aurais pu lui dire que j'aime me coucher habillée en majorette.

– Alors, c'est ça ton secret? taquina Audrey. Est-ce que les hommes aiment ce genre de chose?

– Que veux-tu que j'en sache? grommela-t-elle en jetant le magazine dans la direction de son amie. Je n'ai pas fini d'entendre parler de cette histoire. Cette femme me fait passer pour une midinette amoureuse d'une star du rock. Et elle présente ma liaison avec Luke comme un coup de foudre sans lendemain. Qui va être la prochaine victime des pâtisseries d'Angie Parrish? – Elle soupira. – Les gens vont se mettre à jaser en ville... Amelia Thurston et compagnie vont avoir des nouvelles à se mettre sous la dent. Mon Dieu, je voudrais pouvoir descendre six pieds sous terre!

– Ne t'en fais pas, personne n'achète ce magazine, par ici. Tu verras, tout ira bien.

– Tu crois vraiment?

– Bien sûr. Laisse passer quelques jours, et les gens penseront à autre chose.

A cet instant, Jane, la nouvelle employée, fit irruption dans la boutique.

– Salut! Vous avez vu l'article sur Angie dans *Toutes les Nouvelles?* Je ne savais pas que vous aviez vraiment été mariée avec Chad Daniels. Super! J'en reviens pas!

– Moi non plus, répondit la jeune femme, maussade.

Ce soir-là, Luke écouta patiemment Angie se plaindre de l'article. Il admettait volontiers qu'il s'agissait d'une distorsion grossière de la réalité, d'une interprétation douteuse de leurs rapports, à la limite de la diffamation. Il approuva toutes les remarques de la jeune femme, sans toutefois paraître le moins du monde offusqué.

– Écoute, ce que pensent les gens n'a aucune importance. Ce qui compte, c'est que nous soyons ensemble, et que nous vivions quelque chose d'unique. La seule chose digne d'intérêt dans tout ça c'est qu'elle ait souligné nos divergences sur la question du mariage. Je crois que nous devrions débattre de ce problème et le résoudre... Ensuite, nous appellerons *Toutes les Nouvelles* pour leur vendre le scoop.

– Luke, il ne faut pas plaisanter avec ce genre de chose.

– Qui parle de plaisanter? Après ça, les journalistes nous ficheront définitivement la paix. Qui s'intéresse aux couples mariés? Personne. C'est tellement ennuyeux.

– Je ne voudrais pas te contredire, mais en ce qui me concerne, ça n'était pas vraiment le cas.

Elle savait que Luke essayait de la réconforter, mais cette conversation la rendait de plus en plus nerveuse.

– Je voulais dire, les couples mariés et qui le

restent, corrigea-t-il. Nous pourrions être heureux ensemble, tu le sais.

C'était vrai, et d'ailleurs, ils l'étaient déjà, songea-t-elle. Pourtant, elle avait encore du mal à envisager l'avenir, et surtout depuis leur voyage à New York. L'article de *Toutes les Nouvelles* ne faisait qu'assombrir les perspectives.

– Luke, fit-elle en lui caressant la joue, je ne crois pas que ce soit le meilleur moment pour parler de mariage.

– Décidément, je choisis toujours mal mon heure pour aborder la question. Chaque fois que j'essaie d'en parler avec toi, tu trouves une excuse pour repousser la discussion à plus tard, dit-il en se levant du canapé. Il y a quelque chose qui te tracasse depuis que nous sommes allés à New York. Dis-moi ce que c'est. Tu sais que tu peux tout me dire, Angie. Quoi que ce soit, nous pourrons arranger ça.

– Je suis inquiète pour nous, répondit-elle, alors. J'ai peur que tu te lasses de vivre ici, que tu te lasses de moi, de tout – Elle soupira et se leva à son tour. – J'ai peur que tu ne te réveilles un beau matin en décidant que, tout compte fait, tu préfères la vue de Central Park à celle des champs et des montagnes. Que tu préfères les restaurants chics, les femmes faciles et les voitures de sport à la vie d'ici.

– Angie, mais que puis-je faire pour te prouver que ce n'est pas vrai, que je ne suis pas comme ça? Je veux que nous nous mariions. Est-ce que ce n'est pas une preuve, pour toi?

Plus que jamais, Angie voulait se jeter dans ses bras, l'embrasser et lui promettre de rester avec lui pour toujours. Mais quelque chose la retenait. Elle avait si peur de le perdre.

– Je crois qu'il est encore trop tôt pour le dire. Trop tôt pour moi, en tout cas. Est-ce que nous ne pouvons pas continuer comme ça pour le moment? Qu'y a-t-il de si mal à cela?

– Si je pensais que ce dont tu as besoin, c'est de temps, je serais prêt à attendre des années, répliqua-t-il, blessé. Mais je ne crois pas que ce soit ça. Je crois que tu n'as pas confiance en notre avenir commun, Angie, et cela me rend très triste. Si vraiment c'est ce que tu penses, je ne pourrai pas rester avec toi. Je ne pourrai pas attendre en sachant qu'il n'y a aucun espoir de réalisation pour tous les vœux que j'ai formés, tous les rêves que j'ai faits pour nous. Je t'aime bien trop pour supporter ça.

– Oh, Luke, moi aussi, je t'aime, gémit-elle en l'enlaçant. Je veux rester avec toi, vraiment. Mais je ne sais plus très bien où j'en suis. J'ai besoin d'un peu de temps pour réfléchir. S'il te plaît...

Il l'embrassa, et elle goûta le sel de ses propres larmes coulant sur ses joues. Son baiser était fébrile, passionné, et pourtant Angie sentait qu'il n'était pas totalement avec elle, qu'une part de lui-même restait insensible à ses pleurs. Quand leur baiser prit fin, cette impression fut confirmée par son regard.

– Ne me fais pas attendre trop longtemps, mon amour, murmura-t-il avant de relâcher son étreinte.

Ils savaient tous deux ce que cela signifiait.

Ce soir-là, leur étreinte fut plus tendre encore qu'à l'ordinaire. Teintée d'une certaine avidité, aussi. Ils avaient dit adieu à l'insouciance et s'avançaient maintenant sur un terrain glissant, celui du doute.

Chaque baiser, chaque caresse, chaque mot étaient exécutés ou formulés avec une ferveur éperdue, mêlée de tristesse, comme si le compte à rebours de leur séparation avait été déclenché. Angie communiqua avec son corps toutes les choses qu'elle n'avait pu dire à Luke. Elle se refusait à croire qu'il puisse y avoir une dernière fois entre eux. Pourtant, une petite voix dans son esprit la prévenait du danger. Ils firent l'amour toute la nuit, se réveillant pour chaque fois s'unir avec plus d'ardeur.

Angie et Luke ne reparlèrent plus de l'article. A la boutique, en revanche, personne ne s'en priva. Quelques jours plus tard, Luke s'arrêta à l'improviste chez *Dame Tarte* pour lui annoncer qu'il devait immédiatement partir pour New York. Il y avait un problème urgent à régler à son bureau, et on le réclamait. Il ne savait pas combien de temps il devrait rester là-bas. Angie se demanda s'il allait lui proposer de venir avec elle. Il n'en fit rien. Au lieu de quoi, il l'embrassa rapidement, et prit congé d'elle en promettant de l'appeler dès son arrivée à New York.

On était à une semaine de Noël, et Angie résolut de tromper sa solitude en passant plus de temps à la pâtisserie. Il y avait, de toute façon, une insurmontable quantité de commandes à remplir pour les fêtes. Luke l'appelait tard le soir. Au seul son de sa voix, il lui manquait encore plus cruellement.

Le jour prévu pour le retour du jeune homme, Angie ne tenait plus en place. Bien qu'il ne se soit absenté que quelques jours, elle avait préparé un véritable festin, avec du champagne et son dessert préféré, un Napoléon.

Elle n'avait même pas remarqué l'attitude étrange d'Audrey et de Jane à son égard. Pas juqu'à ce qu'elle entre inopinément dans la boutique pour découvrir qu'elles essayaient de lui cacher un journal.

Elle se campa devant elles, les mains sur les hanches.

– Qu'est-ce que c'est, maintenant? Encore un article sur Luke et moi? Nous faisons la couverture *du New York Times*?

– Pas exactement. C'est la *Tribune*. Il ne faut pas croire un mot de ce qu'ils racontent, Angie. Ce journal est un véritable torchon.

L'article occupait la majeure partie de la rubrique « célébrités ». La jeune femme y découvrit une photo de Luke, vêtu d'un smoking blanc immaculé, s'affichant au bras d'une jeune fille brune habillée d'une toilette étincelante. Ils se souriaient tendrement et semblaient heureux ensemble, constata-t-elle, piquée par la jalousie.

L'article qui suivait présentait l'inconnue comme une starlette de la télévision et annonçait qu'elle s'était engagée aux côtés de Luke pour combattre la misère des sans-abri. Le journaliste précisait que Luke et l'actrice avaient déjà eu une aventure ensemble, et s'interrogeait sur l'éventualité d'un rebondissement avant la fin de l'année.

Angie inspira profondément en essayant de garder son sang-froid. Au téléphone, Luke avait fait allusion à un bal de charité, mais il n'avait pas pris la peine de préciser qu'il entretenait une liaison. En contemplant la photo, elle eut un étrange sentiment de déjà vu. C'était exactement comme avec Chad. Tout recommençait. Le cauchemar...

Des larmes lui montèrent aux yeux. Elle tenta de les retenir. Comment pouvait-elle être aussi ridicule? Luke ne la trompait pas, bien entendu! Jamais il ne le pourrait. Elle lui faisait entièrement confiance, et se maudit d'avoir pu douter un seul instant à la vue d'un article aussi abject.

Audrey et Jane gardaient prudemment le silence, attendant sa réaction.

– Ce ne sont que des sornettes, fit-elle en jetant le journal à la poubelle, dont elle claqua vigoureusement le couvercle.

– Ne te fâche pas, fit Audrey d'un ton conciliant. Luke ne pourrait jamais te faire une chose pareille.

– Je suis sûre qu'il pourra tout vous expliquer en rentrant ce soir.

– Je sais. Je ne suis pas fâchée, et il n'a rien à m'expliquer, insista Angie.

Audrey et Jane se donnaient tant de mal pour trouver le mot juste qui la rassurerait définitivement, mais il était évident qu'elles ne croyaient pas totalement elles-mêmes à l'innocence de Luke.

Le reste de la journée, Audrey et Jane continuèrent de se montrer extrêmement prévenantes avec Angie. Celle-ci savait qu'elles pensaient bien faire, mais aurait préféré un comportement plus naturel de leur part. Leur attitude ne faisait qu'attiser ses doutes.

Elle prépara le dîner de Luke comme prévu. Elle avait sorti une belle nappe de lin blanc et de la vaisselle en porcelaine de Wedgewood. Le champagne était glacé. Elle était fermement décidée à passer une bonne soirée, et que les magazines et la presse entière aillent au diable!

Quand il franchit le seuil de la porte et l'enlaça, ce fut comme s'il revenait d'un voyage de trois ans, et non de trois jours. La soirée fut aussi merveilleuse que prévu, quand Luke sortit un petit paquet de sa poche. Angie reconnut aussitôt l'emballage : cela venait de chez *Tiffany*.

– Pour toi, Dame Tarte, un petit rien pour préparer Noël, dit-il simplement, en le posant devant elle.

Angie le prit entre ses doigts, joua un peu avec le ruban, puis le reposa sur la tabe. Il contenait une bague. Elle en était certaine.

– Qu'est-ce qu'il y a? Tu ne veux pas l'ouvrir?

– Je crois que je sais ce qu'il y a dedans, répondit-elle d'une petite voix, sans oser le regarder.

– Et ce n'est pas ce que tu voulais pour Noël? C'est ça? Bon, très bien... Je vais le rendre, alors.

Il semblait triste et résigné.

– Luke, il s'est passé quelque chose aujourd'hui, quelque chose dont il faudrait que nous parlions. J'ai vu ta photo dans le journal, chez *Régine*, au bras d'une actrice. Quand je l'ai vue, ça m'a fait... le même effet que si ce qui s'est passé avec Chad se reproduisait.

– Je le savais! s'écria-t-il en se levant brusquement de table. Je savais que quelque chose n'allait pas dès l'instant où je suis entré. Pourquoi ne m'en as-tu pas parlé plus tôt?

– Je n'en aurais pas parlé du tout si tu ne t'étais par remis à parler de mariage.

– Mais qui parle de mariage, ici? réplique-t-il, amer. Nous en sommes arrivés à un point où je n'ose même plus prononcer ce mot. Tu crois vraiment que je t'ai trompée avec cette femme? Nous nous parlons à peine. Cela faisait des années que je ne l'avais pas vue. Nous sommes de vieilles connaissances... Et encore, le mot est fort.

– Je te crois, répondit la jeune femme en portant les assiettes vers l'évier. Mais ça m'a fichu un coup de lire de telles insanités. J'avais l'impression de replonger quatre ans en arrière, quand je lisais des articles sur Chad...

– Je ne suis pas ton ex-mari, bon sang! hurla Luke en la saisissant brutalement par les épaules. Quand finiras-tu par le comprendre? Tu es injuste de me faire payer ses erreurs. Je n'ai aucun recours contre ça... Je n'ai qu'à attendre les bras croisés, sans pouvoir rien faire, que tu aies trouvé suffisamment de points communs entre lui et moi pour que tu me quittes! Pourquoi ne peux-tu pas me faire confiance? *Nous* faire confiance... et tenter ta chance?

Angie sentait son cœur se briser dans sa poitrine. C'était pas Luke, en qui elle n'avait pas confiance, mais dans le monde extérieur. Ou plutôt, dans les cercles du pouvoir, de l'argent, de la célébrité, des médias, qui finiraient par l'attirer comme un aimant vers eux et détruire ce qu'ils auraient fondé ensemble.

Comment pouvait-elle le lui faire comprendre?

– Je ne sais que te dire, parvint-elle enfin à articuler.

– Dis que tu acceptes de m'épouser. Ou au moins, prends la bague.

Angie savait qu'elle ne pouvait ouvrir le cadeau de Luke à moins d'être sûre de rester avec lui jusqu'à la fin de ses jours.

– Luke, ne fais pas ça... Je ne peux pas regarder cette bague. Tu sais pourquoi...

Les yeux emplis de larmes, elle le suppliait intérieurement de la prendre dans ses bras, de la réconforter et de lui promettre que tout allait recommencer comme avant, mais il n'en fit rien.

– Parce que la réponse est non, c'est ça? Angie, réponds-moi!

Il retourna à la table, prit le paquet, et le glissa dans sa poche.

– Pour moi, cela signifie que nous ne pouvons plus être ensemble. Je ne veux pas de toi de cette façon – Il enfila son manteau. – Je ne peux être avec toi que si c'est pour toujours. Je ne supporte pas l'idée d'une liaison provisoire avec toi.

En sortant, il claqua la porte derrière lui. Angie traversa le salon en courant et scruta la pénombre à travers la vitre comme il s'installait au volant de sa voiture et démarrait.

Était-il vraiment parti? Définitivement? Elle s'assit à la table, tétanisée. Puis, elle éclata en sanglots, et se couvrit le visage de ses mains. Elle avait déjà vécu tout cela autrefois. S'ils étaient restés ensemble un peu plus longtemps, la séparation n'en aurait été que plus cruelle. Angie se le répéta pour tenter de s'en convaincre. Pourtant, son cœur brisé protestait et refusait d'admettre la terrible réalité.

11

ANGIE fut sur le point d'appeler Luke près d'une centaine de fois le lendemain, mais elle ne savait que lui dire. Elle ne voulait pas lui donner la réponse qu'il attendait d'elle. Quand elle passa devant sa maison, ce soir-là, son cœur cessa presque de battre. La villa Rosewood était déserte, et la voiture de Luke n'était pas dans l'allée. Il était peut-être juste sorti, se dit-elle, tandis qu'à son cœur s'imposait la vérité : il était parti et ne reviendrait pas.

Le lendemain, ses craintes s'avérèrent justifiées. Eve Taylor avait fait savoir à Audrey que Luke avait mis la villa en vente. Fort heureusement, Angie se trouvait dans l'arrière-boutique quand Eve passa à l'improviste. Elle n'aurait pas supporté la moindre question.

Audrey et Jane tentaient de la réconforter tant bien que mal, sans toutefois comprendre comment Angie avait pu laisser lui échapper un aussi beau parti. Mais, se rappelait-elle sans cesse, elles n'avaient pas fait l'expérience d'un mariage aussi désastreux que le sien avec Chad. Elle était convaincue qu'elle ne survivrait pas à un second échec. Contrairement à la croyance populaire, Angie pensait qu'il était préférable de n'avoir jamais aimé, plutôt que d'avoir aimé pour ensuite tout perdre. Si seulement elle avait pu ne pas rencontrer Luke. Tout serait tellement plus simple. Elle pleurerait sa perte jusqu'à la fin de ses jours...

Le travail était la seule chose qui parvenait à la maintenir à flot. La plupart du temps, elle oubliait complètement ce qu'elle faisait. Elle servait les clients en se mordant les lèvres pour ne pas pleurer quand quelqu'un osait mentionner le nom de Luke.

Chatham Falls allait vivre Noël sous la neige. En descendant en ville tous les matins, Angie faisait un détour de plus de huit kilomètres pour éviter de passer devant Rosewood. La montagne était superbe, parée de son élégant manteau blanc, et le centre de Chatham Falls, pittoresque et coquet, rappelait les vieilles cartes postales de Noël. La proximité des fêtes n'améliora pourtant en rien le moral de la jeune femme.

Elle passa le jour de Noël chez Audrey et sa famille. Les enfants lui montrèrent leurs nouveaux jouets, et Angie essaya de faire bonne figure pour ne pas gâcher l'humeur joyeuse de la réunion de famille. Luke était constamment présent à son esprit, et ses pensées revenaient sans cesse à cette journée de Thanksgiving où leur histoire d'amour avait commencé.

Ce fut pire encore après Noël. La fèvre des préparatifs étant passée, il ne restait plus rien pour la distraire. La veille du 31 décembre, elle passa la soirée devant le feu en compagnie de Jezebel. Elle réfléchit à l'année à venir en se demandant quelles résolutions prendre. Ne pas tomber amoureuse venait en tête de sa liste, songea-t-elle avec tristesse. Les autres aspects de son existence semblaient relativement satisfaisants : son affaire prospérait, sa maison était exactement comme elle l'avait rêvée, et son intimité était intacte. Malheureusement, sans amour, sans l'amour de Luke, tout cela paraissait bien dérisoire.

Il était dur de réaliser que tout ce pour quoi elle s'était battue – son travail, son indépendance, sa maison – avait perdu le pouvoir de la sécuriser et de la réconforter. Luke avait emporté ces sentiments avec lui. Quand Angie regardait vers l'avenir, tout lui semblait terne et sans attrait. Avant que Luke lui ait ravi son cœur, elle avait été seule, mais pas esseulée. Maintenant, elle éprouvait une douleur plus dure encore que la solitude. Elle se sentait déchirée en deux, comme si on lui avait volé la moitié de son âme.

Elle était allongée sur le canapé, les yeux fermés, caressant distraitement Jezebel d'une main. De grosses larmes coulaient sur ses joues, qu'elle ne se donnait même plus la peine d'essuyer. Elle avait eu si peur de souffrir si elle restait avec Luke que si vraiment ils avaient tenté de faire un bout de chemin ensemble, elle aurait constamment vécu dans cette crainte. Malgré tout, cela ne valait-il pas la peine d'en prendre le risque? Sans Luke, Angie savait qu'elle n'avait pas d'avenir.

Le 31 décembre commença sur les chapeaux de roue avec un appel très matinal de Carla Cunningham. L'esprit encore embrumé de sommeil, Angie fit répéter trois fois son nom à la journaliste.

– Carla Cunningham, de *Toutes les Nouvelles*, répéta cette dernière, agacée, avec un fort accent new-yorkais. Je vous ai interviewée, vous et Luke Wilder, il y a quelques semaines de ça.

– Si on peut appeler ça une interview, cingla la jeune femme, vu le peu d'informations que vous en avez tirées. Je n'ai rien à vous dire.

– Rien sur votre rupture avec Luke Wilder? Il va donc falloir que je me contente de ce que j'ai...

– Qui vous a informée? est-ce que Luke vous a dit que nous n'étions plus ensemble?

– Luke, mon Dieu non, ma chérie. – Angie détestait absolument de se voir appelée ainsi par des inconnus. – Il n'a pas daigné m'adresser la parole. Mais votre histoire a fait le tour de la ville. Tout le monde sait que vous n'êtes plus avec lui. Décidément, encore un triste Noël... Après Chad Daniels, ma pauvre chérie...

Clara Cunningham semblait presque éprouver de la pitié pour elle.

Toute la nuit, Angie s'était débattue contre l'idée d'aller trouver Luke pour lui demander de revenir. Mais comment pouvait-elle le convaincre qu'elle avait désormais surmonté le passé, et qu'elle se fichait de ce que la presse ou la télévision disaient d'eux? Pourquoi devait-il lui faire confiance quand elle-même lui en avait si peu manifesté?

Maintenant, cependant, elle commençait à entrevoir un moyen de restaurer cette confiance perdue. Et, aussi étrange que cela puisse paraître, Carla Cunningham allait l'y aider.

Quelques heures plus tard, elle se retrouva avec Carla devant le bureau de la secrétaire de Luke. Angie était déjà venue lui rendre visite à son bureau, et avait pu franchir le barrage sans grandes difficultés. Elle crut qu'elle allait avoir une crise de nerfs quand la secrétaire décrocha son téléphone pour l'annoncer.

– Monsieur Wilder...? s'enquit cette dernière en regardant le combiné avec perplexité.

A cette instant, la porte du grand bureau s'ouvrit brutalement, et Luke apparut. Il dévisagea longuement Angie, avant de remarquer la présence de Carla Cunningham.

– Il faut que te parle, Luke.

– Qu'est-ce qu'elle fait là? grommela le jeune homme pour toute réponse, en désignant la journaliste. Elle t'a suivie jusqu'ici?

– Non. C'est moi qui lui ai demandé de venir. Fais-nous entrer, et je t'expliquerai.

Carla avait sorti son calepin, mais semblait bien mal à l'aise. Sans un mot, contrairement à son habitude, elle suivit Angie.

– Alors, explique-toi, pressa Luke quand il eut refermé la porte derrière lui. Et tu as intérêt à avoir une bonne raison d'être ici... Avec cette fouille-m...

Il était si beau qu'Angie aurait pu se jeter dans ses bras à tout instant. Elle inspira profondément et tenta de se rappeler très exactement les mots qu'elle avait préparés sur la route de New York.

– Carla s'est laissé dire que toi et moi n'étions plus ensemble. Je lui ai promis un récit complet et exclusif de notre histoire depuis le jour où tu es entré pour la première fois dans ma boutique. Avec des photos...

Luke paraissait trop abasourdi pour parler, et Carla griffonnait frénétiquement sur son carnet sans lever les yeux. Angie se mit à faire les cent pas dans le bureau de Luke, comme un avocat préparant sa plaidoirie.

– Quant à moi, poursuivit-elle, j'atteste que non seulement nous n'avons pas rompu, mais que nous nous apprêtons à sceller notre union de façon durable et officielle... Je certifie que nous allons être unis pour toujours, joindre nos fortunes, et... mettre nos dentiers dans le même bocal. J'ai dit à Mme Cunningham que tu m'avais même acheté une bague chez Tiffany, quelque chose de gros et de voyant... Un saphir, peut-être?

– Une émeraude, corrigea le jeune homme, encore choqué, mais agréablement surpris par la tournure que prenait la conversation.

– Et je... dit Angie plongeant la main dans son sac, j'ai apporté le bocal.

Elle déposa un vieux bocal à conserve au milieu du bureau de Luke, et croisa les bras devant elle en attendant la réaction de l'intéressé.

– Alors, es-tu d'accord avec tout ce que je viens de dire? lança-t-elle avec un air de défi. Tu ferais mieux de parler vite. Carla doit rendre son papier dans une heure... Et tu sais combien je respecte la presse.

– Tu me mets au pied du mur.

– En effet, confirma Angie, priant le ciel que son stratagème fonctionne. Je crois que nous avons perdu assez de temps comme ça. Je ne dis pas que c'est à cause de toi, bien sûr...

– Alors? dit soudain Carla.

Elle écarta Angie d'un coup de coude, et vint se camper devant Luke.

– Ma réponse est... Je suis entièrement d'accord avec ce qu'Angie vient de dire. Sauf pour les photos.

Il prit le carnet des mains de la journaliste, le referma et le lui tendit. Puis, il l'entraîna vers la porte, et la poussa doucement, mais fermement, vers l'extérieur.

– Je ne me souviens pas que nous ayons fait des photos ensemble, mais je vous en donnerai quand nous en aurons.

– Attendez! J'ai d'autres questions! protesta la journaliste comme on lui claquait la porte au nez.

– Vous trouverez bien quelque chose à inventer en rentrant au journal, *ma chérie*, lança Angie, perfide.

Luke referma la porte et se tourna vers elle. Il s'approcha et l'enlaça. Ils s'étreignirent un long moment, sans un mot, sans un baiser, le souffle presque suspendu. Angie était au comble du bonheur. Jamais plus elle ne serait séparée de lui.

– Tu penses vraiment tout ce que tu as dit? demanda finalement Luke.

– Je t'ai donné le bocal, non? Le plus solide que j'ai pu trouver au grenier. Il nous fera au moins quarante ans.

– Et ensuite?

– Nous en trouverons un autre, répondit-elle en levant la tête pour accueillir son baiser.

FEMME PASSION

Octobre 1990

N° 17 *Deux sur la terre* par Maura SEGER

Que Josefa s'oblige à travailler comme un homme, voilà qui déplaît fort à Gavin. Pourtant, un simple copropriétaire de ranch comme lui ne peut imposer sa volonté. Ce conflit d'autorité, dans un domaine de l'Oklahoma calciné par la chaleur, tourne au drame. Mais un accident oblige Josefa à garder le lit. Entre la blessée et son garde-malade improvisé s'établit par force une complicité qui pourrait bien évoluer dangereusement. Et Josefa se rebelle...

N° 18 *Le critique soigne son style* par Cassie MILES

Valérie se sent étouffée par la personnalité de sa sœur, la célèbre actrice Lana Burns, alors qu'elle essaie de se faire un nom comme styliste... Incapable d'affronter l'interview de Christopher Wayne, moment capital pour sa carrière, Lana risque de voir ternir son étoile au firmament des stars si elle annule ce rendez-vous. Et voilà que Valérie décide d'éviter le désastre en se faisant passer pour l'actrice.

LA COMPOSITION, L'IMPRESSION ET LE BROCHAGE DE CE LIVRE
ONT ÉTÉ EFFECTUÉS PAR LA SOCIÉTÉ NOUVELLE FIRMIN-DIDOT
MESNIL-SUR-L'ESTRÉE
POUR LE COMPTE DES PRESSES DE LA CITÉ
LE 16 AOÛT 1990

Imprimé en France
Dépôt légal : septembre 1990
N° d'impression : 15054